Cucina Antinfiammatoria
Il Benessere Attraverso il Cibo

Luca Rossi

Indice

Ingredienti per le ciotole di tacos con polpette:

Polpette:

1 libbra di carne macinata magra (sostituisce qualsiasi carne macinata come maiale, tacchino o pollo)

1 uovo

1/4 tazza di cavolo riccio tritato finemente o erbe croccanti come prezzemolo o coriandolo (a discrezione)

1 cucchiaio di sale

1/2 cucchiaino di pepe nero

ciotole di tacos

2 tazze di salsa Enchilada (usiamo quella personalizzata) 16 polpette (condimenti precedentemente registrati)

2 tazze di riso cotto, bianco o scuro

1 avocado, affettato

1 tazza di salsa o Pico de Gallo acquistata localmente 1 tazza di formaggio grattugiato

1 Jalapeno, affettato delicatamente (a discrezione)

1 cucchiaio di coriandolo, spezzato

1 Limone, tagliato a fette

Tortilla Chips, per servire

Istruzioni:

1. Per preparare/congelare

2. In una ciotola capiente, unisci la carne macinata, le uova, il cavolo riccio (se utilizzato), sale e pepe. Mescolare con le mani fino a quando non si sarà consolidato uniformemente.

Formare 16 polpette distanti circa 2,5 cm l'una dall'altra e disporle su un piatto coperto con un foglio di alluminio.

3. Se si utilizza entro diversi giorni, conservare in frigorifero per un massimo di 2 giorni.

4. Se si congela, riporre la padella nel frigorifero finché le polpette non saranno sode. Passa a una borsa termica. Le polpette si conservano in frigorifero per 3-4 mesi.

5. Per cucinare

6. In una casseruola media, portare la salsa enchilada a fuoco lento. Includere le polpette (non vi è alcun motivo valido per scongelarle prima se le polpette lo sono

solidificato). Cuocere le polpette fino a cottura ultimata, 12 minuti se croccanti e 20 minuti se cotte.

7. Mentre le polpette cuociono, preparate i diversi ingredienti.

8. Assembla le ciotole di taco guarnendo il riso con polpette e salsa, avocado tritato, salsa, formaggio cheddar, pezzi di jalapeño e coriandolo. Regalo con spicchi di lime e tortilla chips.

Porzioni di Zoodles al pesto di salmone e avocado: 4

Tempo di cottura: 25 minuti

Ingredienti:

1 cucchiaio di pesto

1 limone

2 bistecche di salmone congelate/fresche

1 zucchina grande a spirale

1 cucchiaio di pepe nero

1 avocado

1/4 tazza di parmigiano, grattugiato

condimento italiano

Istruzioni:

1. Scaldare il forno a 375 F. Condire il salmone con condimento italiano, sale e pepe e infornare per 20 minuti.

2. Aggiungi gli avocado nella ciotola insieme a un cucchiaio di pepe, succo di limone e un cucchiaio di pesto. Schiacciare gli avocado e mettere da parte.

3. Aggiungi gli spaghetti di zucchine in un piatto da portata, seguiti dal composto di avocado e salmone.

4. Cospargere di formaggio. Se necessario aggiungete altro pesto. Godere!

Informazioni nutrizionali:128 calorie 9,9 g di grassi 9 g di carboidrati totali 4 g di proteine

Patate dolci condite allo zafferano, mela e cipolla con pollo

Porzioni: 4

Tempo di cottura: 45 minuti

Ingredienti:

2 cucchiai di burro non salato, a temperatura ambiente 2 patate dolci medie

1 mela Granny Smith grande

1 cipolla media, affettata sottilmente

4 petti di pollo con ossa e pelle

1 cucchiaino di sale

1 cucchiaino di curcuma

1 cucchiaino di salvia essiccata

¼ di cucchiaino di pepe nero appena macinato

1 tazza di sidro di mele, vino bianco o brodo di pollo<u>Istruzioni:</u>

1. Preriscaldare il forno a 400°F. Ungere la teglia con il burro.

2. Disporre la patata dolce, la mela e la cipolla in un unico strato sulla teglia.

3. Posizionare il pollo con la pelle rivolta verso l'alto e condire con sale, zafferano, salvia e pepe. Aggiungi il sidro.

4. Cuocere per 35-40 minuti. Sfornate, lasciate riposare 5 minuti e servite.

<u>Informazioni nutrizionali:</u>Calorie 386 Grassi totali: 12 g Carboidrati totali: 26 g Zuccheri: 10 g Fibre: 4 g Proteine: 44 g Sodio: 932 mg

Porzioni di filetto di salmone grigliato alle erbe: 4

Tempo di cottura: 5 minuti

Ingredienti:

1 libbra di bistecca di salmone, sciacquata 1/8 di cucchiaino di pepe di cayenna 1 cucchiaino di peperoncino in polvere

½ cucchiaio di cumino

2 spicchi d'aglio, tritati

1 cucchiaio di olio d'oliva

¾ cucchiaino di sale

1 cucchiaino di pepe nero appena macinato

Istruzioni:

1. Preriscaldare il forno a 350 gradi F.

2. In una ciotola, unisci pepe di cayenna, peperoncino in polvere, cumino, sale e pepe nero. Lasciato da parte.

3. Cospargere l'olio d'oliva sulla bistecca di salmone. Strofinare su entrambi i lati. Strofinare l'aglio e la miscela di spezie preparata. Lascia riposare per 10 minuti.

4. Dopo aver lasciato amalgamare i sapori, preparare una padella antiaderente.

Riscaldare l'olio. Una volta caldo, condire il salmone per 4 minuti su entrambi i lati.

5. Trasferisci la padella nel forno. Cuocere per 10 minuti. Servire.

<u>Informazioni nutrizionali:</u>Calorie 210 Carboidrati: 0g Grassi: 14g Proteine: 19g

Tofu e verdure estive condite all'italiana

Porzioni: 4

Tempo di cottura: 20 minuti

Ingredienti:

2 zucchine grandi, tagliate a fette da ¼ di pollice

2 zucchine grandi, tagliate a fette spesse ¼ di pollice 1 libbra di tofu sodo, tagliato a cubetti da 1 pollice

1 tazza di brodo vegetale o acqua

3 cucchiai di olio extra vergine di oliva

2 spicchi d'aglio, affettati

1 cucchiaino di sale

1 cucchiaino di miscela di condimenti alle erbe italiane

¼ di cucchiaino di pepe nero appena macinato

1 cucchiaio di basilico fresco tagliato a fettine sottili

Istruzioni:

1. Preriscaldare il forno a 400°F.

2. Unisci le zucchine, la zucca, il tofu, il brodo, l'olio, l'aglio, il sale, la miscela di spezie italiane e il pepe in una grande teglia e mescola per ricoprire.

3. Cuocere in 20 minuti.

4. Cospargere con basilico e servire.

Informazioni nutrizionali:Calorie 213 Grassi totali: 16g Carboidrati totali: 9g Zucchero: 4g Fibre: 3g Proteine: 13g Sodio: 806mg

Insalata di fragole e formaggio di capra

Ingredienti:

1 libbra di fragole croccanti, tagliate a dadini

A discrezione: da 1 a 2 cucchiaini di nettare o sciroppo d'acero, a piacere 2 once di formaggio cheddar di capra sbriciolato (circa ½ tazza) ¼ di tazza di basilico croccante, più qualche foglia di basilico per guarnire

1 cucchiaio di olio extravergine di oliva

1 cucchiaio di aceto balsamico denso*

½ cucchiaino di sale marino in scaglie Maldon o un ¼ non adatto

cucchiaino di sale marino fino

Pepe nero appena macinato

Istruzioni:

1. Distribuisci le fragole a dadini su un piatto medio o una ciotola poco profonda. Se le fragole non sono dolci come vorresti, irrorali con un po' di nettare o sciroppo d'acero.

2. Cospargere le fragole con il cheddar di capra sbriciolato e poi con il basilico tritato. Versare sopra l'olio d'oliva e l'aceto balsamico.

3. Lucidare il piatto di verdure miste con sale, qualche pezzetto di pepe nero appena macinato e le foglie di basilico tenute da parte. Per un'ottima introduzione, servite velocemente il piatto di verdure miste.

Gli avanzi si conservano comunque bene in frigorifero per circa 3 giorni.

Porzioni di stufato di cavolfiore e merluzzo allo zafferano: 4

Tempo di cottura: 30 minuti

Ingredienti:

½ chilo di cimette di cavolfiore

1 chilo di filetti di merluzzo, disossati, senza pelle e tagliati a cubetti 1 cucchiaio di olio d'oliva

1 cipolla gialla, tritata

½ cucchiaino di semi di cumino

1 peperone verde, tritato

¼ cucchiaino di curcuma in polvere

2 pomodori tagliati

Un pizzico di sale e pepe nero

½ tazza di brodo di pollo

1 cucchiaio di coriandolo, tritato

Istruzioni:

1. Scaldare una padella con olio d'oliva a fuoco medio, aggiungere la cipolla, il pepe, il cumino e lo zafferano, mescolare e far rosolare per 5 minuti.

2. Aggiungere il cavolfiore, il pesce e gli altri ingredienti, mescolare, portare a ebollizione e cuocere a fuoco medio per altri 25 minuti.

3. Dividere lo stufato nelle ciotole e servire.

Informazioni nutrizionali:calorie 281, grassi 6, fibre 4, carboidrati 8, proteine 12

Deliziose porzioni di noci e asparagi: 4

Tempo di cottura: 5 minuti

Ingredienti:

1 cucchiaio e ½ di olio d'oliva

¾ libbra di asparagi, tagliati

¼ tazza di noci, tritate

Semi di girasole e pepe a piacere

Istruzioni:

1. Metti una padella a fuoco medio, aggiungi l'olio d'oliva e lascialo scaldare.

2. Aggiungere gli asparagi e rosolarli per 5 minuti fino a doratura.

3. Condire con semi di girasole e pepe.

4. Rimuovere il calore.

5. Aggiungi le noci e mescola.

Informazioni nutrizionali:Calorie: 124Grassi: 12gCarboidrati: 2gProteine: 3g

Ingredienti Pasta Alfredo Di Zucchine:

2 zucchine medie a spirale

1-2 cucchiai di parmigiano vegano (a discrezione)

Salsa Alfredo veloce

1/2 tazza di anacardi ammollati per qualche ora o in acqua bollente per 10 minuti

2 cucchiai di succo di limone

3 TB di lievito alimentare

2 cucchiaini di miso bianco (può essere sub tamari, salsa di soia o aminoacidi di cocco)

1 cucchiaio di cipolla in polvere

1/2 cucchiaino di aglio in polvere

1/4-1/2 tazza d'acqua

Istruzioni:

1. Spiralizzare le tagliatelle di zucchine.

2. Aggiungi tutti gli ingredienti Alfredo in un frullatore veloce (iniziando con 1/4 di tazza d'acqua) e frulla fino a ottenere un composto omogeneo. Se la

salsa risultasse troppo densa aggiungete altra acqua un cucchiaio alla volta fino ad ottenere la consistenza desiderata.

3. Condisci le tagliatelle di zucchine con la salsa Alfredo e, se preferisci, un po' di carrozzina vegetariana.

Pollo con quinoa e tacchino Ingredienti:

1 tazza di quinoa, lavata

3 tazze e 1/2 di acqua, isolata

Tacchino macinato magro da 1/2 libbra

1 enorme cipolla dolce, affettata

1 peperone rosso dolce medio, affettato

4 spicchi d'aglio, tritati

1 cucchiaio di polvere di fagioli

1 cucchiaio di cumino macinato

1/2 cucchiaino di cannella in polvere

2 vasetti (15 once ciascuno) di fagioli scuri, lavati e scolati 1 lattina (28 once) di pomodori schiacciati

1 zucchina media, tagliata

1 peperoncino chipotle in salsa adobo, affettato

1 cucchiaio di salsa adobo

1 foglio stretto

1 cucchiaino di origano secco

1/2 cucchiaino di sale

1/4 cucchiaino di pepe

1 tazza di mais solidificato, scongelato

1/4 tazza di coriandolo croccante tritato

Guarnizioni a discrezione: avocado a dadini, formaggio Cheddar Monterey Jack grattugiato

Istruzioni:

1. In una padella capiente, scalda la quinoa e 2 tazze d'acqua fino al punto di ebollizione. Diminuire il calore; stenderlo e cuocerlo per 12-15 minuti o finché non si sarà trattenuta l'acqua. Togliere dal fuoco; appiattire con una forchetta e riporre in un luogo sicuro.

2. Successivamente, in un'ampia padella coperta e dotata di doccia di cottura, fate cuocere a fuoco medio il tacchino, la cipolla, il peperoncino e l'aglio finché la carne non sarà più rosa e le verdure saranno tenere; canale. Aggiungere la polvere di feijoada, il cumino e la cannella; cuocere per altri 2 minuti.

Ogni volta che vuoi, regala guarnizioni discrezionali.

3. Aggiungere i fagioli neri, i pomodori, le zucchine, il peperoncino, la salsa adobo, la santoreggia, l'origano, il sale, il pepe e il resto dell'acqua.

Riscaldare fino al punto di ebollizione. Diminuire il calore; stendere e far rosolare per 30

minuti. Mescolare mais e quinoa; calore attraverso. Scartare la foglia stretta; aggiungere il coriandolo. Regalo con fissaggi discrezionali come desiderato.

4. Alternativa al congelamento: congelare lo stufato raffreddato negli scomparti più freddi.

Per l'utilizzo, scongelare parzialmente in frigorifero per un periodo medio. Scaldare in padella, mescolando di tanto in tanto; includere succhi o acqua se vitale.

Porzioni Di Pasta Zucca Aglio: 4

Tempo di cottura: 15 minuti

Ingredienti:

Per preparare la salsa

¼ tazza di latte di cocco

6 grandi date

2/3 g di cocco grattugiato

6 spicchi d'aglio

2 cucchiai di pasta di zenzero

2 cucchiai di pasta di curry rosso

Per preparare la pasta

1 pasta grande di zucca cotta

½ carota tagliata a julienne

½ zucchina tagliata a julienne

1 peperoncino rosso piccolo

¼ di tazza di anacardi

Istruzioni:

1. Per preparare la salsa, frullare tutti gli ingredienti e ottenere una purea densa.

2. Tagliare gli spaghetti di zucca nel senso della lunghezza e ricavare le tagliatelle.

3. Spennellare leggermente la padella con olio d'oliva e cuocere le tagliatelle di zucca a 40°C per 5-6 minuti.

4. Per servire, aggiungere la pasta e la purea in una ciotola. Oppure servire la purea insieme alla pasta.

Informazioni nutrizionali:Calorie 405 Carboidrati: 107 g Grassi: 28 g Proteine: 7 g

Trota al vapore con salsa di fagioli rossi e peperoni Porzioni: 1

Tempo di cottura: 16 minuti

Ingredienti:

4 ½ once di pomodorini, tagliati a metà

1/4 avocado, sbucciato

6 once di filetto di trota di mare senza pelle

Foglie di coriandolo per servire

2 cucchiaini di olio d'oliva

Spicchi di lime, per servire

4 ½ once di fagioli rossi in scatola, sciacquati e scolati 1/2 cipolla rossa, tagliata a fettine sottili

1 cucchiaio di jalapeños sott'aceto, scolati

1/2 cucchiaino di cumino macinato

4 olive siciliane/olive verdi

Istruzioni:

1. Metti un cestello per la cottura a vapore sopra una pentola piena di acqua bollente. Aggiungere il pesce al cestello e coprire, cuocere per 10-12 minuti.

2. Togliere il pesce e lasciarlo riposare per qualche minuto. Nel frattempo fate preriscaldare un po' d'olio in una padella.

3. Aggiungi jalapenos sottaceto, fagioli rossi, olive, 1/2 cucchiaino di cumino e pomodorini. Cuocere per circa 4-5 minuti, mescolando continuamente.

4. Disporre la pasta di fagioli su un piatto da portata, seguita dalle trote.

Aggiungi il coriandolo e la cipolla sopra.

5. Servire insieme a fette di limone e avocado. Goditi la trota di mare al vapore con fagioli rossi e salsa al peperoncino!

Informazioni nutrizionali:243 calorie 33,2 g di grassi 18,8 g di carboidrati totali 44 g di proteine

Porzioni di zuppa di patate dolci e tacchino: 4

Tempo di cottura: 45 minuti

Ingredienti:

2 cucchiai di olio d'oliva

1 cipolla gialla, tritata

1 peperone verde, tritato

2 patate dolci, sbucciate e tagliate a cubetti

1 libbra di petto di tacchino, senza pelle, disossato e tagliato a cubetti 1 cucchiaino di coriandolo macinato

Un pizzico di sale e pepe nero

1 cucchiaino di paprika dolce

6 tazze di brodo di pollo

Succo di 1 lime

Una manciata di prezzemolo tritato

Istruzioni:

1. Scaldare una padella con olio d'oliva a fuoco medio, aggiungere la cipolla, il pepe e la patata dolce, mescolare e far rosolare per 5 minuti.

2. Aggiungere la carne e farla rosolare per altri 5 minuti.

3. Aggiungere il resto degli ingredienti, mescolare, portare a ebollizione e cuocere a fuoco medio per altri 35 minuti.

4. Versare la zuppa nelle ciotole e servire.

Informazioni nutrizionali:calorie 203, grassi 5, fibre 4, carboidrati 7, proteine 8

Porzioni di salmone grigliato con miso: 2

Tempo di cottura: 20 minuti

Ingredienti:

2 cucchiai. sciroppo d'acero

2 limoni

¼ di tazza di miso

¼ cucchiaino. Pepe macinato

2 limoni

2 libbre e mezzo di salmone, con la pelle

Dash al pepe di cayenna

2 cucchiai. Olio extravergine d'oliva

¼ di tazza di miso

Istruzioni:

1. Per prima cosa, mescola il succo di limone e il succo di lime in una piccola ciotola finché non saranno ben amalgamati.

2. Quindi aggiungere il miso, il pepe di cayenna, lo sciroppo d'acero, l'olio d'oliva e il pepe. Combina bene.

3. Disporre quindi il salmone su una teglia rivestita di carta da forno con la pelle rivolta verso il basso.

4. Spennellare generosamente il salmone con la miscela di limone e miso.

5. Ora posiziona i pezzi di limone e lime tagliati a metà sui lati con il lato tagliato rivolto verso l'alto.

6. Infine, cuocere per 8-12 minuti o finché il pesce non si sminuzza.

Informazioni nutrizionali:Calorie: 230KcalProteine: 28,3gCarboidrati: 6,7gGrassi: 8,7g

Porzioni di filetto traballante semplicemente saltato: 6

Tempo di cottura: 8 minuti

Ingredienti:

6 filetti di tilapia

2 cucchiai di olio d'oliva

1 unità di limone, succo

Sale e pepe a piacere

¼ di tazza di prezzemolo o coriandolo tritato

Istruzioni:

1. Soffriggere i filetti di tilapia con olio d'oliva in una padella media a fuoco medio. Cuocere per 4 minuti per lato finché il pesce non si sfalda facilmente con una forchetta.

2. Aggiungi sale e pepe a piacere. Versare il succo di limone su ogni filetto.

3. Per servire, cospargere i filetti cotti con prezzemolo tritato o coriandolo.

Informazioni nutrizionali:Calorie: 249 CalGrassi: 8,3 g Proteine: 18,6 g Carboidrati: 25,9

Fibra: 1 g

Porzioni di Carnitas di Maiale: 10

Tempo di cottura: 8 ore. 10 minuti

Ingredienti:

5 sterline. spalla di maiale

2 spicchi d'aglio, tritati

1 cucchiaino di pepe nero

1/4 cucchiaino di cannella

1 cucchiaino di origano secco

1 cucchiaio di cumino macinato

1 foglia di alloro

2 once di brodo di pollo

1 c. di tè al succo di lime

1 cucchiaio di peperoncino in polvere

1 cucchiaio di sale

Istruzioni:

1. Aggiungi il maiale insieme al resto degli ingredienti in una pentola a cottura lenta.

2. Mettete il coperchio e fate cuocere per 8 ore. a fuoco basso.

3. Una volta pronto, sminuzzare la carne di maiale cotta con una forchetta.

4. Distribuisci il maiale stirato su una teglia.

5. Grigliare per 10 minuti e servire.

Informazioni nutrizionali:Calorie 547 Grassi 39 g, Carboidrati 2,6 g, Fibre 0 g, Proteine 43 g

Zuppa Di Pesce Bianco Con Verdure

Porzioni: da 6 a 8

Tempo di cottura: da 32 a 35 minuti

Ingredienti:

3 patate dolci, sbucciate e tagliate a pezzi da ½ pollice 4 carote, sbucciate e tagliate a pezzi da ½ pollice 3 tazze di latte di cocco intero

2 tazze d'acqua

1 cucchiaino di timo secco

½ cucchiaino di sale marino

10 ½ once (298 g) di pesce bianco sodo e senza pelle, come merluzzo o ippoglosso, tagliato a pezzi

Istruzioni:

1. Aggiungi le patate dolci, le carote, il latte di cocco, l'acqua, il timo e il sale marino in una pentola capiente a fuoco alto e porta a ebollizione.

2. Ridurre la fiamma al minimo, coprire e cuocere a fuoco lento per 20 minuti fino a quando le verdure saranno tenere, mescolando di tanto in tanto.

3. Versare metà della zuppa nel frullatore e frullare fino ad ottenere un composto ben omogeneo e omogeneo, quindi rimettere nella padella.

4. Aggiungere i pezzi di pesce e proseguire la cottura per altri 12

a 15 minuti, o fino a quando il pesce sarà cotto.

5. Togliere dal fuoco e servire in ciotole.

Informazioni nutrizionali:calorie: 450; grassi: 28,7 g; proteine: 14,2 g; carboidrati: 38,8 g; fibra: 8,1 g; zucchero: 6,7 g; sodio: 250 mg

Porzioni di cozze al limone: 4

Ingredienti:

1 cucchiaio. olio extra vergine di oliva 2 spicchi d'aglio tritati

2 libbre cozze strofinate

Succo di un limone

Istruzioni:

1. Mettete un po' d'acqua in una pentola, aggiungete le cozze, portate a ebollizione a fuoco medio, fate cuocere per 5 minuti, eliminate le cozze non aperte e trasferitele in una ciotola.

2. In un'altra ciotola, mescolare l'olio d'oliva con l'aglio e il succo di limone appena spremuto, sbattere bene e aggiungere le cozze, mescolare e servire.

3. Divertitevi!

Informazioni nutrizionali:Calorie: 140, Grassi: 4 g, Carboidrati: 8 g, Proteine: 8 g, Zuccheri: 4 g, Sodio: 600 mg,

Porzioni di Salmone con Limone e Peperoni: 2

Tempo di cottura: 8 minuti

Ingredienti:

1 libbra di salmone

1 cucchiaio di succo di limone

½ cucchiaino di pepe

½ cucchiaino di peperoncino in polvere

4 fette di lime

Istruzioni:

1. Irrorare il salmone con il succo di limone.

2. Cospargere entrambi i lati con pepe e peperoncino in polvere.

3. Aggiungi il salmone nella friggitrice.

4. Metti le fette di lime sul salmone.

5. Friggere a 375 gradi F per 8 minuti.

Porzioni di pasta al tonno con formaggio: 3-4

Ingredienti:

2 c. Rucola

¼ c. erba cipollina tritata

1 cucchiaio. aceto rosso

5 once tonno in scatola sgocciolato

¼ cucchiaino. Pepe nero

2 once pasta integrale cotta

1 cucchiaio. olio

1 cucchiaio. parmigiano magro grattugiato

Istruzioni:

1. Cuocere la pasta in acqua non salata fino al momento. Scolare e riservare.

2. In una ciotola capiente, mescolare bene il tonno, l'erba cipollina, l'aceto, l'olio d'oliva, la rucola, la pasta e il pepe nero.

3. Mescolare bene e coprire con il formaggio.

4. Servi e divertiti.

<u>Informazioni nutrizionali:</u>Calorie: 566,3, Grassi: 42,4 g, Carboidrati: 18,6 g, Proteine: 29,8 g, Zuccheri: 0,4 g, Sodio: 688,6 mg

Straccetti di pesce in crosta di cocco Porzioni: 4

Tempo di cottura: 12 minuti

Ingredienti:

marinato

1 cucchiaio di salsa di soia

1 cucchiaino di zenzero macinato

½ tazza di latte di cocco

2 cucchiai di sciroppo d'acero

½ tazza di succo di ananas

2 cucchiaini di salsa piccante

Pescare

1 kg di filetto di pesce tagliato a listarelle

pepe a piacere

1 tazza di pangrattato

1 tazza di scaglie di cocco (non zuccherate)

Spray da cucina

Istruzioni:

1. Mescolare gli ingredienti della marinata in una ciotola.

2. Aggiungi le strisce di pesce.

3. Coprire e conservare in frigorifero per 2 ore.

4. Preriscalda la friggitrice ad aria a 375 gradi F.

5. In una ciotola, mescolare il pepe, il pangrattato e il cocco grattugiato.

6. Immergi le strisce di pesce nel pangrattato.

7. Spruzzare olio sul cestello della friggitrice.

8. Aggiungi le strisce di pesce al cestello della friggitrice.

9. Friggere per 6 minuti su ciascun lato.

Porzioni di pesce messicano: 2

Tempo di cottura: 10 minuti

Ingredienti:

4 filetti di pesce

2 cucchiaini di origano messicano

4 cucchiaini di cumino

4 cucchiaini di peperoncino in polvere

pepe a piacere

Spray da cucina

Istruzioni:

1. Preriscalda la friggitrice ad aria a 400 gradi F.

2. Spruzzare il pesce con olio.

3. Condisci entrambi i lati del pesce con spezie e pepe.

4. Metti il pesce nel cestello della friggitrice.

5. Cuocere per 5 minuti.

6. Girare e cuocere per altri 5 minuti.

Trota con salsa di cetrioli Porzioni: 4

Tempo di cottura: 10 minuti

Ingredienti:

Prezzemolo:

1 cetriolo inglese, tagliato a dadini

¼ di tazza di yogurt al cocco non zuccherato

2 cucchiai di menta fresca tritata

1 erba cipollina, parti bianche e verdi, tritate

1 cucchiaino di miele grezzo

Sale marino

Pescare:

4 filetti di trota (5 once), essiccati

1 cucchiaio di olio d'oliva

Sale marino e pepe nero appena macinato a piacereIstruzioni:

1. Prepara il condimento: mescola lo yogurt, il cetriolo, la menta, l'erba cipollina, il miele e il sale marino in una piccola ciotola fino a quando non saranno completamente amalgamati. Lasciato da parte.

2. Su una superficie di lavoro pulita, strofinare leggermente i filetti di trota con sale marino e pepe.

3. Scaldare l'olio d'oliva in una padella larga a fuoco medio. Aggiungete i filetti di trota nella padella calda e fateli rosolare per circa 10 minuti, girando il pesce a metà cottura o finché sarà cotto a vostro piacimento.

4. Distribuire il prezzemolo sul pesce e servire.

Informazioni nutrizionali:calorie: 328; grassi: 16,2 g; proteine: 38,9 g; carboidrati: 6,1 g

; fibra: 1,0 g; zucchero: 3,2 g; sodio: 477 mg

Porzioni di Zoodles di gamberetti al limone: 4

Tempo di cottura: 0 minuti

Ingredienti:

Salsa:

½ tazza di foglie di basilico fresco

Succo di 1 limone (o 3 cucchiai)

1 cucchiaino di aglio tritato in bottiglia

pizzico di sale marino

Un pizzico di pepe nero appena macinato

¼ di tazza di latte di cocco intero in scatola

1 zucca gialla grande, tagliata a julienne o a spirale 1 zucchina grande, tagliata a julienne o a spirale

454 g di gamberetti, sbucciati, cotti, sbucciati e raffreddati Scorza di 1 limone (opzionale)

Istruzioni:

1. Prepara la salsa: trita finemente le foglie di basilico, il succo di limone, l'aglio, il sale marino e il pepe in un robot da cucina.

2. Versa lentamente il latte di cocco mentre il robot è ancora in funzione. Frullare fino a ottenere un composto liscio.

3. Trasferisci la salsa in una ciotola capiente, insieme alla zucca gialla e alle zucchine. Mescolare bene.

4. Cospargere i gamberi e la scorza di limone (se lo si desidera) sulla pasta. Servire immediatamente.

Informazioni nutrizionali:calorie: 246; grassi: 13,1 g; proteine: 28,2 g; carboidrati: 4,9 g

; fibra: 2,0 g; zucchero: 2,8 g; sodio: 139 mg

Porzioni di gamberetti croccanti: 4

Tempo di cottura: 3 minuti

Ingredienti:

1 libbra di gamberetti, sbucciati ed eviscerati

½ tazza di miscela per impanare il pesce

Spray da cucina

Istruzioni:

1. Preriscalda la friggitrice ad aria a 390 gradi F.

2. Spruzzare i gamberi con olio.

3. Coprire con il composto per panatura.

4. Spruzzare olio sul cestello della friggitrice.

5. Aggiungi i gamberetti al cestello della friggitrice.

6. Cuocere per 3 minuti.

Porzioni di branzino alla griglia: 2

Ingredienti:

2 spicchi d'aglio, tritati

Pepe.

1 cucchiaio. succo di limone

2 filetti di branzino bianco

¼ cucchiaino. miscela di condimenti alle erbe

Istruzioni:

1. Ungere una teglia con un filo d'olio d'oliva e adagiare i filetti.

2. Cospargere i filetti con il succo di limone, l'aglio e il condimento.

3. Grigliare per circa 10 minuti o fino a quando il pesce sarà dorato.

4. Se lo si desidera, servire su un letto di spinaci saltati.

Informazioni nutrizionali:Calorie: 169, Grassi: 9,3 g, Carboidrati: 0,34 g, Proteine: 15,3

g, Zuccheri: 0,2 g, Sodio: 323 mg

Porzioni di tortini al salmone: 4

Tempo di cottura: 10 minuti

Ingredienti:

Spray da cucina

Filetto di salmone da 1 libbra, in scaglie

¼ tazza di farina di mandorle

2 cucchiaini di condimento Old Bay

1 cipolla verde, tritata

Istruzioni:

1. Preriscalda la friggitrice ad aria a 390 gradi F.

2. Spruzzare olio sul cestello della friggitrice.

3. In una ciotola, mescolare gli ingredienti rimanenti.

4. Formare delle polpette con il composto.

5. Ungere entrambi i lati degli hamburger con olio.

6. Friggere per 8 minuti.

Porzioni di merluzzo piccante: 4

Ingredienti:

2 cucchiai. Prezzemolo fresco tritato

2 libbre filetti di merluzzo

2 c. salsa a basso contenuto di sodio

1 cucchiaio. olio senza sapore

Istruzioni:

1. Preriscaldare il forno a 180°C.

2. In una teglia larga e profonda, irrorare il fondo con olio d'oliva.

Disporre i filetti di merluzzo sul piatto. Versare il prezzemolo sul pesce. Coprire con un foglio di alluminio per 20 minuti. Togliere la pellicola durante gli ultimi 10 minuti di cottura.

3. Cuocere in forno per 20-30 minuti, fino a quando il pesce sarà friabile.

4. Servire con riso bianco o integrale. Decorare con prezzemolo.

Informazioni nutrizionali:Calorie: 110, Grassi: 11 g, Carboidrati: 83 g, Proteine: 16,5 g, Zuccheri: 0 g, Sodio: 122 mg

Porzioni di pasta di trota affumicata: 2

Ingredienti:

2 cucchiaini. Succo di limone fresco

½ tazza. ricotta a basso contenuto di grassi

1 gambo di sedano tritato

¼libbra. filetto di trota affumicata senza pelle,

½ cucchiaino. salsa Worcestershire

1 cucchiaino. salsa piccante

¼ c. cipolla rossa tritata grossolanamente

Istruzioni:

1. Frullare la trota, la ricotta, la cipolla rossa, il succo di limone, la salsa di peperoncino e la salsa Worcestershire in un frullatore o in un robot da cucina.

2. Lavorare fino a ottenere un composto omogeneo, fermandosi per raschiare i lati della ciotola secondo necessità.

3. Incorporate i dadini di sedano.

4. Conservare in un contenitore ermetico nel frigorifero.

Informazioni nutrizionali:Calorie: 57, Grassi:4 g, Carboidrati:1 g, Proteine:4 g, Zuccheri:0 g, Sodio:660 mg

Porzioni di tonno e scalogno: 4

Ingredienti:

½ tazza. brodo di pollo a basso contenuto di sodio

1 cucchiaio. olio

4 filetti di tonno disossati e senza pelle

2 scalogni tritati

1 cucchiaino. paprica

2 cucchiai. Limonata

¼ cucchiaino. Pepe nero

Istruzioni:

1. Scaldare una padella con l'olio d'oliva a fuoco medio-alto, aggiungere gli scalogni e farli rosolare per 3 minuti.

2. Aggiungere il pesce e cuocere per 4 minuti su ciascun lato.

3. Aggiungere il resto degli ingredienti, cuocere il tutto per altri 3 minuti, dividere nei piatti e servire.

Informazioni nutrizionali:Calorie: 4.040, Grassi: 34,6 g, Carboidrati: 3 g, Proteine: 21,4 g, Zuccheri: 0,5 g, Sodio: 1.000 mg

Porzioni di gamberetti al limone e pepe: 2

Tempo di cottura: 10 minuti

Ingredienti:

1 cucchiaio di succo di limone

1 cucchiaio di olio d'oliva

1 cucchiaino di pepe al limone

¼ cucchiaino di aglio in polvere

¼ cucchiaino di paprika

12 once gamberetti sgusciati ed eviscerati

Istruzioni:

1. Preriscalda la friggitrice ad aria a 400 gradi F.

2. Mescolare in una ciotola il succo di limone, l'olio d'oliva, il peperoncino, l'aglio in polvere e la paprika.

3. Mescolare i gamberi e ricoprirli uniformemente con il composto.

4. Aggiungi alla friggitrice.

5. Cuocere per 8 minuti.

Trancio di tonno piccante Porzioni: 6

Ingredienti:

2 cucchiai. Succo di limone fresco

Pepe.

Maionese all'aglio con arancia tostata

¼ c. pepe nero intero

6 tranci di tonno a fette

2 cucchiai. Olio extravergine d'oliva

sale

Istruzioni:

1. Metti il tonno in una ciotola da portata. Aggiungere l'olio d'oliva, il succo di limone, sale e pepe. Girare il tonno per ricoprirlo bene con la marinata. Lasciare riposare dai 15 ai 20

minuti, girando una volta.

2. Metti i grani di pepe in sacchetti di plastica a doppio spessore. Colpire i grani di pepe con una padella pesante o un piccolo martello per schiacciarli grossolanamente. Disporre su un piatto grande.

3. Durante la cottura del tonno, immergere i bordi nel pepe nero macinato. Scaldare una padella antiaderente a fuoco medio. Scottare i tranci di tonno, se necessario in porzioni, per 4 minuti per lato per i pesci medio-al sangue, aggiungendo se necessario 2-3 cucchiai di marinata per evitare che si attacchino.

4. Servire impanato con maionese all'aglio e arancia arrostita Informazioni nutrizionali:Calorie: 124, Grassi:0,4 g, Carboidrati:0,6 g, Proteine:28 g, Zuccheri:0 g, Sodio:77 mg

Porzioni di salmone cajun: 2

Tempo di cottura: 10 minuti

Ingredienti:

2 filetti di salmone

Spray da cucina

1 cucchiaio di condimento cajun

1 cucchiaio di miele

Istruzioni:

1. Preriscalda la friggitrice ad aria a 390 gradi F.

2. Ungere entrambi i lati del pesce con olio.

3. Cospargere con il condimento Cajun.

4. Spruzzare olio sul cestello della friggitrice.

5. Aggiungi il salmone al cestello della friggitrice.

6. Friggere per 10 minuti.

Ciotola Di Salmone Quinoa Con Verdure

Porzioni: 4

Tempo di cottura: 0 minuti

Ingredienti:

1 libbra (454 g) di salmone cotto, in scaglie

4 tazze di quinoa cotta

6 ravanelli affettati sottili

1 zucchina tagliata a mezze lune

3 tazze di rucola

3 erba cipollina, tritata

½ tazza di olio di mandorle

1 cucchiaino di salsa piccante senza zucchero

1 cucchiaio di aceto di mele

1 cucchiaino di sale marino

½ tazza di mandorle a scaglie tostate, per guarnire (facoltativo)Istruzioni:

1. In una ciotola capiente, unisci il salmone in scaglie, la quinoa cotta, i ravanelli, le zucchine, la rucola e l'erba cipollina e mescola bene.

2. Aggiungere l'olio di mandorle, la salsa piccante, l'aceto di mele e il sale marino e mescolare bene.

3. Dividete il composto in quattro ciotole. Se lo si desidera, cospargere ogni ciotola uniformemente con le mandorle a scaglie per guarnire. Servire immediatamente.

Informazioni nutrizionali:calorie: 769; grassi: 51,6 g; proteine: 37,2 g; carboidrati: 44,8 g; fibra: 8,0 g; zucchero: 4,0 g; sodio: 681 mg

Porzioni di pesce impanato: 4

Tempo di cottura: 15 minuti

Ingredienti:

¼ tazza di olio d'oliva

1 tazza di pangrattato secco

4 filetti di pesce bianco

pepe a piacere

Istruzioni:

1. Preriscalda la friggitrice ad aria a 350 gradi F.

2. Cospargere entrambi i lati del pesce con pepe.

3. Mescolare l'olio e il pangrattato in una ciotola.

4. Immergi il pesce nel composto.

5. Premere il pangrattato per farlo aderire.

6. Metti il pesce nella friggitrice.

7. Cuocere per 15 minuti.

Porzioni di polpette semplici di salmone: 4

Tempo di cottura: da 8 a 10 minuti

Ingredienti:

454 g di filetti di salmone senza pelle, tritati ¼ di tazza di cipolla dolce tritata

½ tazza di farina di mandorle

2 spicchi d'aglio, tritati

2 uova, sbattute

1 cucchiaino di senape di Digione

1 cucchiaio di succo di limone appena spremuto

Fiocchi di peperoncino rosso

½ cucchiaino di sale marino

¼ di cucchiaino di pepe nero appena macinato

1 cucchiaio di olio di avocado

Istruzioni:

1. Unisci il salmone tritato, la cipolla dolce, la farina di mandorle, l'aglio, le uova sbattute, la senape, il succo di limone, i fiocchi di peperoncino, il sale

marino e il pepe in una ciotola capiente e mescola fino a ottenere un composto ben amalgamato.

2. Lascia riposare il composto di salmone per 5 minuti.

3. Raccogli il composto di salmone e forma con le mani quattro polpette spesse ½ pollice.

4. Scaldare l'olio di avocado in una padella capiente a fuoco medio. Aggiungi gli hamburger nella padella calda e cuoci ciascun lato per 4-5 minuti finché non saranno leggermente dorati e cotti.

5. Togliere dal fuoco e servire su un piatto.

Informazioni nutrizionali:calorie: 248; grassi: 13,4 g; proteine: 28,4 g; carboidrati: 4,1 g

; fibra: 2,0 g; zucchero: 2,0 g; sodio: 443 mg

Porzioni di gamberetti popcorn: 4

Tempo di cottura: 10 minuti

Ingredienti:

½ cucchiaino di cipolla in polvere

½ cucchiaino di aglio in polvere

½ cucchiaino di paprika

¼ di cucchiaino di senape macinata

⅛ cucchiaino di salvia essiccata

⅛ cucchiaino di timo macinato

⅛ cucchiaino di origano secco

⅛ cucchiaino di basilico essiccato

pepe a piacere

3 cucchiai di amido di mais

1 libbra di gamberetti, sbucciati ed eviscerati

Spray da cucina

Istruzioni:

1. Mescolare tutti gli ingredienti tranne i gamberetti in una ciotola.

2. Immergere i gamberetti nel composto.

3. Spruzzare olio sul cestello della friggitrice.

4. Preriscalda la friggitrice ad aria a 390 gradi F.

5. Aggiungi i gamberi all'interno.

6. Friggere per 4 minuti.

7. Agitare il cestello.

8. Cuocere per altri 5 minuti.

Porzioni Di Pesce Piccante Al Forno: 5

Ingredienti:

1 cucchiaio. olio

1 cucchiaino. condimento senza sale

1 kg di filetto di salmone

Istruzioni:

1. Preriscaldare il forno a 350F.

2. Cospargere il pesce con olio d'oliva e condimenti.

3. Cuocere per 15 minuti senza coperchio.

4. Tagliare e servire.

Informazioni nutrizionali:Calorie: 192, Grassi: 11 g, Carboidrati: 14,9 g, Proteine: 33,1 g, Zuccheri: 0,3 g, Sodio: 505 6 mg

Porzioni di tonno alla paprika: 4

Ingredienti:

½ cucchiaino. polvere di peperoncino

2 cucchiaini. paprica

¼ cucchiaino. Pepe nero

2 cucchiai. olio

4 tranci di tonno disossati

Istruzioni:

1. Scaldare una padella con olio d'oliva a fuoco medio-alto, aggiungere i tranci di tonno, condire con paprika, pepe nero e peperoncino in polvere, farli rosolare per 5 minuti per lato, dividere nei piatti e servire con un'insalata.

Informazioni nutrizionali:Calorie: 455, Grassi: 20,6 g, Carboidrati: 0,8 g, Proteine: 63,8

g, Zuccheri: 7,4 g, Sodio: 411 mg

Porzioni di polpette di pesce: 2

Tempo di cottura: 7 minuti

Ingredienti:

8 once filetto di pesce bianco, in scaglie

Aglio in polvere a piacere

1 cucchiaino di succo di limone

Istruzioni:

1. Preriscalda la friggitrice ad aria a 390 gradi F.

2. Unisci tutti gli ingredienti.

3. Formare delle polpette con il composto.

4. Metti gli hamburger di pesce nella friggitrice.

5. Cuocere per 7 minuti.

Capesante grigliate al miele Porzioni: 4

Tempo di cottura: 15 minuti

Ingredienti:

454 g di capesante grandi, lavate e asciugate con sale marino Dash

Una spolverata di pepe nero appena macinato

2 cucchiai di olio di avocado

¼ di tazza di miele grezzo

3 cucchiai di aminoacidi al cocco

1 cucchiaio di aceto di mele

2 spicchi d'aglio, tritati

Istruzioni:

1. In una ciotola aggiungere le capesante, il sale marino e il pepe e mescolare bene.

2. In una padella capiente, scalda l'olio di avocado a fuoco medio-alto.

3. Scottare le capesante per 2 o 3 minuti su ciascun lato o fino a quando le capesante saranno di colore bianco latte o opache e sode.

4. Togliere le capesante dal fuoco, metterle in un piatto e coprirle leggermente con un foglio di alluminio per mantenerle calde. Lasciato da parte.

5. Aggiungi il miele, gli aminoacidi di cocco, l'aceto e l'aglio nella padella e mescola bene.

6. Portare a ebollizione e cuocere per circa 7 minuti finché il liquido non si sarà ridotto, mescolando di tanto in tanto.

7. Rimetti le capesante scottate nella padella, mescolando per ricoprirle con la glassa.

8. Dividete le capesante in quattro piatti e servitele calde.

Informazioni nutrizionali:calorie: 382; grassi: 18,9 g; proteine: 21,2 g; carboidrati: 26,1 g; fibra: 1,0 g; zucchero: 17,7 g; sodio: 496 mg

Filetti Di Merluzzo Con Funghi Shiitake Porzioni: 4

Tempo di cottura: dai 15 ai 18 minuti

Ingredienti:

1 spicchio d'aglio, tritato

1 porro, affettato sottilmente

1 cucchiaino di radice di zenzero fresca tritata

1 cucchiaio di olio d'oliva

½ bicchiere di vino bianco secco

½ tazza di funghi shiitake a fette

4 filetti di merluzzo (6 once/170 g).

1 cucchiaino di sale marino

⅛ cucchiaino di pepe nero appena macinato

Istruzioni:

1. Preriscaldare il forno a 190°C (375°F).

2. Unisci l'aglio, i porri, la radice di zenzero, il vino, l'olio d'oliva e i funghi su una teglia e mescola fino a quando i funghi saranno ricoperti uniformemente.

3. Cuocere nel forno preriscaldato per 10 minuti fino a quando saranno leggermente dorati.

4. Togliere la teglia dal forno. Distribuire sopra i filetti di merluzzo e condire con sale marino e pepe.

5. Coprire con un foglio di alluminio e rimettere in forno. Cuocere dalle 5 alle 8

altri minuti o fino a quando il pesce sarà friabile.

6. Rimuovere la pellicola e lasciarla raffreddare per 5 minuti prima di servire.

Informazioni nutrizionali:calorie: 166; grassi: 6,9 g; proteine: 21,2 g; carboidrati: 4,8 g; fibra: 1,0 g; zucchero: 1,0 g; sodio: 857 mg

Porzioni di branzino bianco alla griglia: 2

Ingredienti:

1 cucchiaino. aglio tritato

Pepe nero macinato

1 cucchiaio. succo di limone

8 once filetti di branzino bianco

¼ cucchiaino. miscela di condimenti alle erbe senza sale

Istruzioni:

1. Preriscaldare la griglia e posizionare la griglia a 4 pollici dalla fonte di calore.

2. Spruzzare leggermente una teglia con spray da cucina. Disporre i filetti sulla teglia. Cospargere i filetti con il succo di limone, l'aglio, il condimento alle erbe e il pepe.

3. Grigliare fino a quando il pesce diventa opaco quando viene testato con la punta di un coltello, circa 8-10 minuti.

4. Servire immediatamente.

Informazioni nutrizionali:Calorie: 114, Grassi: 2 g, Carboidrati: 2 g, Proteine: 21 g, Zuccheri: 0,5 g, Sodio: 78 mg

Porzioni di nasello al pomodoro arrosto: 4-5

Ingredienti:

½ tazza. Salsa di pomodoro

1 cucchiaio. olio

Prezzemolo

2 pomodori a fette

½ tazza. formaggio grattugiato

4 libbre nasello disossato e affettato

Sale.

Istruzioni:

1. Preriscaldare il forno a 400 0F.

2. Condire il pesce con sale.

3. In una padella o padella; friggere il pesce in olio d'oliva fino a metà cottura.

4. Prendi quattro fogli di alluminio per coprire il pesce.

5. Modellare il foglio in modo da assomigliare a dei contenitori; aggiungere la salsa di pomodoro a ciascun contenitore di alluminio.

6. Aggiungere il pesce, le fette di pomodoro e coprire con formaggio grattugiato.

7. Cuocere fino a doratura, circa 20-25

minuti.

8. Aprite le confezioni e ricoprite con il prezzemolo.

Informazioni nutrizionali:Calorie: 265, Grassi: 15 g, Carboidrati: 18 g, Proteine: 22 g, Zuccheri: 0,5 g, Sodio: 94,6 mg

Porzioni di eglefino alla griglia con barbabietola rossa: 4

Tempo di cottura: 30 minuti

Ingredienti:

8 barbabietole, sbucciate e tagliate in ottavi

2 scalogni, affettati sottilmente

2 cucchiai di aceto di mele

2 cucchiai di olio d'oliva, divisi

1 cucchiaino di aglio tritato in bottiglia

1 cucchiaino di timo fresco tritato

pizzico di sale marino

4 filetti di eglefino (5 once/142 g), essiccatiIstruzioni:

1. Preriscaldare il forno a 205ºC (400ºF).

2. Unisci barbabietole, scalogno, aceto, 1 cucchiaio di olio d'oliva, aglio, timo e sale marino in una ciotola media e mescola bene.

Distribuire il composto di barbabietola su una teglia.

3. Cuocere nel forno preriscaldato per circa 30 minuti, girando una o due volte con una spatola, o fino a quando le barbabietole saranno tenere.

4. Nel frattempo, scalda il restante 1 cucchiaio di olio d'oliva in una padella capiente a fuoco medio-alto.

5. Aggiungi l'eglefino e rosola ogni lato per 4-5 minuti, o fino a quando la carne diventa opaca e si sfalda facilmente.

6. Trasferisci il pesce su un piatto e servilo con sopra le barbabietole arrostite.

Informazioni nutrizionali:calorie: 343; grasso: 8,8 g; proteine: 38,1 g; carboidrati: 20,9 g

; fibra: 4,0 g; zucchero: 11,5 g; sodio: 540 mg

Porzioni abbondanti di tonno fuso: 4

Ingredienti:

3 once formaggio cheddar magro grattugiato

1/3 ca. sedano tritato

Pepe nero e sale

¼ c. cipolla tritata

2 muffin inglesi integrali

6 once tonno bianco sgocciolato

¼ c. russo magro

Istruzioni:

1. Preriscaldare la griglia. Unisci il tonno, il sedano, la cipolla e il condimento per l'insalata.

2. Condire con sale e pepe.

3. Tostare le metà dei muffin inglesi.

4. Disporre la parte divisa verso l'alto su una teglia da forno e coprire ciascuna con 1/4 del composto di tonno.

5. Grigliare per 2 o 3 minuti o fino a quando non sarà completamente riscaldato.

6. Coprire con il formaggio e rimettere in forno finché il formaggio non si scioglie, circa 1 minuto in più.

Informazioni nutrizionali:Calorie: 320, Grassi: 16,7 g, Carboidrati: 17,1 g, Proteine: 25,7

g, Zuccheri: 5,85 g, Sodio: 832 mg

Salmone Al Limone Con Kaffir Lime Porzioni: 8

Ingredienti:

1 gambo di citronella, affettato e tagliato a pezzi

2 foglie di lime kaffir, strappate

1 limone, affettato sottilmente

1½ tazza. foglie di coriandolo fresco

1 filetto di salmone intero

Istruzioni:

1. Preriscaldare il forno a 180°C.

2. Ricoprire una teglia con fogli di alluminio, sovrapponendo i lati 3. Disporre il salmone sul foglio di alluminio, coprire con il limone, le foglie di lime, la citronella e 1 tazza di foglie di coriandolo. Opzione: condire con sale e pepe.

4. Portare il lato lungo del foglio al centro prima di piegare il francobollo.

Arrotolare le estremità per sigillare il salmone.

5. Cuocere per 30 minuti.

6. Trasferisci il pesce cotto in un piatto da portata. Completare con coriandolo fresco.

Servire con riso bianco o integrale.

Informazioni nutrizionali:Calorie: 103, Grassi: 11,8 g, Carboidrati: 43,5 g, Proteine: 18 g, Zuccheri: 0,7 g, Sodio: 322 mg

Tenero salmone in salsa di senape Porzioni: 2

Ingredienti:

5 cucchiai. aneto tritato

2/3 ca. crema

Pepe.

2 cucchiai. senape di Digione

1 cucchiaino. polvere d'aglio

5 once filetti di salmone

2-3 cucchiai. Succo di limone

Istruzioni:

1. Mescolare panna acida, senape, succo di limone e aneto.

2. Condire i filetti con pepe e aglio in polvere.

3. Disporre il salmone su una teglia con la pelle rivolta verso il basso e coprire con la salsa di senape preparata.

4. Cuocere per 20 minuti a 180°C.

Informazioni nutrizionali:Calorie: 318, Grassi: 12 g, Carboidrati: 8 g, Proteine: 40,9 g, Zuccheri: 909,4 g, Sodio: 1,4 mg

Porzioni di insalata di granchio: 4

Ingredienti:

2 c. polpa di granchio

1 c. pomodorini tagliati a metà

1 cucchiaio. olio

Pepe nero

1 scalogno tritato

1/3 ca. coriandolo tritato

1 cucchiaio. succo di limone

Istruzioni:

1. In una ciotola, unire il granchio con i pomodori e gli altri ingredienti, mescolare e servire.

Informazioni nutrizionali:Calorie: 54, Grassi: 3,9 g, Carboidrati: 2,6 g, Proteine: 2,3 g, Zuccheri: 2,3 g, Sodio: 462,5 mg

Salmone al forno con salsa di miso Porzioni: 4

Tempo di cottura: dai 15 ai 20 minuti

Ingredienti:

Salsa:

¼ di tazza di sidro di mele

¼ di tazza di miso bianco

1 cucchiaio di olio d'oliva

1 cucchiaio di aceto di riso bianco

⅛ cucchiaino di zenzero macinato

4 filetti di salmone disossati (da 3 a 4 once/da 85 a 113 g) 1 cipolla verde, affettata, per guarnire

⅛ cucchiaino di fiocchi di peperoncino, per guarnire

Istruzioni:

1. Preriscaldare il forno a 190°C (375°F).

2. Prepara il condimento: sbatti insieme il sidro di mele, il miso bianco, l'olio d'oliva, l'aceto di riso e lo zenzero in una piccola ciotola. Se volete una consistenza più liquida aggiungete un po' d'acqua.

3. Disporre i filetti di salmone su una teglia da forno, con la pelle rivolta verso il basso. Distribuire la salsa preparata sui filetti per ricoprirli uniformemente.

4. Cuocere nel forno preriscaldato per 15-20 minuti o finché il pesce non si sfalda facilmente con una forchetta.

5. Guarnire con erba cipollina affettata e scaglie di peperoncino e servire.

Informazioni nutrizionali:calorie: 466; grassi: 18,4 g; proteine: 67,5 g; carboidrati: 9,1 g

; fibra: 1,0 g; zucchero: 2,7 g; sodio: 819 mg

Merluzzo Al Forno Alle Erbe Con Miele Porzioni: 2

Ingredienti:

6 cucchiai. ripieno di erbe

8 once filetti di merluzzo

2 cucchiai. Miele

Istruzioni:

1. Preriscaldare il forno a 375 0F.

2. Spruzzare leggermente una teglia con spray da cucina.

3. Metti il ripieno alle erbe in un sacchetto e chiudilo. Schiacciare il ripieno fino a renderlo friabile.

4. Ricopri il pesce con il miele ed elimina il miele rimanente.

Aggiungere un filetto al sacchetto di ripieno e agitare delicatamente per ricoprire completamente il pesce.

5. Trasferisci il baccalà nella pirofila e ripeti il procedimento per il secondo pesce.

6. Avvolgere i filetti con un foglio di alluminio e cuocere fino a quando saranno sodi e opachi. Fare la prova con la punta di un coltello per una decina di minuti.

7. Servire caldo.

Informazioni nutrizionali:Calorie: 185, Grassi: 1 g, Carboidrati: 23 g, Proteine: 21 g, Zuccheri: 2 g, Sodio: 144,3 mg

Mix di baccalà con parmigiano Porzioni: 4

Ingredienti:

1 cucchiaio. succo di limone

½ tazza. cipolla verde tritata

4 filetti di merluzzo disossati

3 spicchi d'aglio, tritati

1 cucchiaio. olio

½ tazza. parmigiano grattugiato magro

Istruzioni:

1. Scaldare una padella con l'olio d'oliva a fuoco medio, aggiungere l'aglio e l'erba cipollina, mescolare e far rosolare per 5 minuti.

2. Aggiungere il pesce e cuocere per 4 minuti su ciascun lato.

3. Aggiungere il succo di limone, cospargere il parmigiano, cuocere il tutto per altri 2 minuti, distribuire nei piatti e servire.

Informazioni nutrizionali:Calorie: 275, Grassi: 22,1 g, Carboidrati: 18,2 g, Proteine: 12 g, Zuccheri: 0,34 g, Sodio: 285,4 mg

Porzioni di gamberetti croccanti all'aglio: 4

Tempo di cottura: 10 minuti

Ingredienti:

1 libbra di gamberetti, sbucciati ed eviscerati

2 cucchiaini di aglio in polvere

pepe a piacere

¼ tazza di farina

Spray da cucina

Istruzioni:

1. Condire i gamberetti con aglio in polvere e pepe.

2. Coprire con farina.

3. Spruzzare olio sul cestello della friggitrice.

4. Aggiungi i gamberetti al cestello della friggitrice.

5. Cuocere a 400 gradi F per 10 minuti, agitando una volta a metà cottura.

Porzioni di mix cremoso di branzino: 4

Ingredienti:

1 cucchiaio. prezzemolo tritato

2 cucchiai. olio di avocado

1 c. Crema di cocco

1 cucchiaio. Limonata

1 cipolla gialla tritata

¼ cucchiaino. Pepe nero

4 filetti di branzino disossati

Istruzioni:

1. Scaldare una padella con l'olio d'oliva a fuoco medio, aggiungere la cipolla, mescolare e far rosolare per 2 minuti.

2. Aggiungere il pesce e cuocere per 4 minuti su ciascun lato.

3. Aggiungere il resto degli ingredienti, cuocere il tutto per altri 4 minuti, dividere nei piatti e servire.

Informazioni nutrizionali:Calorie: 283, Grassi: 12,3 g, Carboidrati: 12,5 g, Proteine: 8 g, Zuccheri: 6 g, Sodio: 508,8 mg

Porzioni di Ahi Poke al cetriolo: 4

Tempo di cottura: 0 minuti

Ingredienti:

Ahi Poke:

454 g di tonno ahi tipo sushi, tagliato a cubetti da 1 pollice 3 cucchiai di aminoacidi al cocco

3 cipolline, affettate sottilmente

1 peperone serrano, senza semi e tritato (facoltativo) 1 cucchiaino di olio d'oliva

1 cucchiaino di aceto di riso

1 cucchiaino di semi di sesamo tostati

Zenzero macinato

1 avocado grande, tagliato a cubetti

1 cetriolo tagliato a fette spesse ½ polliceIstruzioni:

1. Prepara l'ahi poke: mescola i cubetti di tonno ahi con gli aminoacidi di cocco, lo scalogno, il pepe serrano (se lo desideri), l'olio d'oliva, l'aceto, i semi di sesamo e lo zenzero in una grande ciotola.

2. Coprire la ciotola con pellicola trasparente e lasciare marinare in frigorifero per 15

minuti.

3. Aggiungi l'avocado tagliato a dadini nella ciotola dell'ahi poke e mescola per amalgamare.

4. Disporre le fette di cetriolo su un piatto da portata. Metti l'ahi poke sul cetriolo e servi.

<u>Informazioni nutrizionali:</u>calorie: 213; grassi: 15,1 g; proteine: 10,1 g; carboidrati: 10,8 g; fibra: 4,0 g; zucchero: 0,6 g; sodio: 70 mg

Porzioni di mix di merluzzo alla menta: 4

Ingredienti:

4 filetti di merluzzo disossati

½ tazza. brodo di pollo a basso contenuto di sodio

2 cucchiai. olio

¼ cucchiaino. Pepe nero

1 cucchiaio. menta tritata

1 cucchiaino. scorza di limone

¼ c. cipolla tritata

1 cucchiaio. succo di limone

Istruzioni:

1. Scaldare una padella con l'olio d'oliva a fuoco medio, aggiungere lo scalogno, mescolare e far rosolare per 5 minuti.

2. Aggiungere il merluzzo, il succo di limone e gli altri ingredienti, portare a ebollizione e cuocere a fuoco medio per 12 minuti.

3. Dividere il tutto nei piatti e servire.

Informazioni nutrizionali:Calorie: 160, Grassi: 8,1 g, Carboidrati: 2 g, Proteine: 20,5 g, Zuccheri: 8 g, Sodio: 45 mg

Porzioni di tilapia cremosa al limone: 4

Ingredienti:

2 cucchiai. coriandolo fresco tritato

¼ c. maionese a basso contenuto di grassi

Pepe nero appena macinato

¼ c. succo di limone fresco

4 filetti di tilapia

½ tazza. parmigiano grattugiato magro

½ cucchiaino. polvere d'aglio

Istruzioni:

1. In una ciotola, mescolare tutti gli ingredienti tranne i filetti di tilapia e il coriandolo.

2. Ricoprire uniformemente i filetti con la miscela di maionese.

3. Disporre i filetti su un grande pezzo di foglio di alluminio. Avvolgere un foglio di alluminio attorno ai filetti per sigillarli.

4. Disporre il pacchetto di alluminio sul fondo di una grande pentola a cottura lenta.

5. Imposta la pentola a cottura lenta su un livello basso.

6. Coprire e cuocere per 3-4 ore.

7. Servire con il contorno di coriandolo.

Informazioni nutrizionali:Calorie: 133,6, Grassi: 2,4 g, Carboidrati: 4,6 g, Proteine: 22 g, Zuccheri: 0,9 g, Sodio: 510,4 mg

Porzioni di tacos di pesce: 4

Tempo di cottura: 20 minuti

Ingredienti:

Spray da cucina

1 cucchiaio di olio d'oliva

4 tazze di cavolo

1 cucchiaio di aceto di mele

1 cucchiaio di succo di limone

pepe di Caienna

pepe a piacere

2 cucchiai di condimento per tacos

¼ tazza di farina di frumento

1 kg di filetto di merluzzo tagliato a cubetti

4 tortillas di mais

Istruzioni:

1. Preriscalda la friggitrice ad aria a 400 gradi F.

2. Spruzzare olio sul cestello della friggitrice.

3. In una ciotola, sbatti insieme l'olio d'oliva, l'insalata di cavolo, l'aceto, il succo di limone, il pepe di cayenna e il pepe.

4. In un'altra ciotola, mescola il condimento per tacos e la farina.

5. Ricopri i cubetti di pesce con la miscela di condimenti per tacos.

6. Aggiungili al cestello della friggitrice.

7. Friggere per 10 minuti, agitando a metà cottura.

8. Coprire le tortillas di mais con il composto di insalata di cavolo e pesce e arrotolarle.

Mix di branzino allo zenzero Porzioni: 4

Ingredienti:

4 filetti di branzino disossati

2 cucchiai. olio

1 cucchiaino. zenzero grattugiato

1 cucchiaio. coriandolo tritato

Pepe nero

1 cucchiaio. aceto balsamico

Istruzioni:

1. Scaldare una padella con olio d'oliva a fuoco medio, aggiungere il pesce e rosolarlo per 5 minuti su ciascun lato.

2. Aggiungete il resto degli ingredienti, fate cuocere il tutto per altri 5 minuti, distribuite il tutto nei piatti e servite.

Informazioni nutrizionali:Calorie: 267, Grassi: 11,2 g, Carboidrati: 1,5 g, Proteine: 23 g, Zuccheri: 0,78 g, Sodio: 321,2 mg

Porzioni di gamberetti al cocco: 4

Tempo di cottura: 6 minuti

Ingredienti:

2 uova

1 tazza di cocco essiccato non zuccherato

¼ tazza di farina di cocco

¼ cucchiaino di paprika

Pepe di cayenna

½ cucchiaino di sale marino

Una spolverata di pepe nero appena macinato

¼ di tazza di olio di cocco

1 libbra (454 g) di gamberi crudi, sbucciati, puliti e asciugatiIstruzioni:

1. Sbattere le uova in una piccola ciotola fino a renderle schiumose. Lasciato da parte.

2. In una ciotola separata, unisci il cocco, la farina di cocco, la paprika, il pepe di cayenna, il sale marino e il pepe nero e mescola fino a ottenere un composto ben amalgamato.

3. Immergi i gamberi nelle uova sbattute e immergili nella miscela di cocco. Eliminare ogni eccesso.

4. Scaldare l'olio di cocco in una padella capiente a fuoco medio-alto.

5. Aggiungi i gamberi e cuoci per 3-6 minuti, mescolando di tanto in tanto, o fino a quando la carne sarà completamente rosa e opaca.

6. Trasferisci i gamberi cotti su un piatto rivestito di carta assorbente per scolarli. Servitelo caldo.

Informazioni nutrizionali:calorie: 278; grassi: 1,9 g; proteine: 19,2 g; carboidrati: 5,8 g; fibra: 3,1 g; zucchero: 2,3 g; sodio: 556 mg

Maiale con zucca e noce moscata Porzioni: 4

Tempo di cottura: 35 minuti

Ingredienti:

1 chilo di maiale in umido, tagliato a cubetti

1 zucchina, sbucciata e tagliata a cubetti

1 cipolla gialla, tritata

2 cucchiai di olio d'oliva

2 spicchi d'aglio, tritati

½ cucchiaino di garam masala

½ cucchiaino di noce moscata, macinata

1 cucchiaino di scaglie di peperoncino, tritato

1 cucchiaio di aceto balsamico

Un pizzico di sale marino e pepe nero

Istruzioni:

1. Scaldare una padella con l'olio d'oliva a fuoco medio-alto, aggiungere la cipolla e l'aglio e far rosolare per 5 minuti.

2. Aggiungere la carne e farla rosolare per altri 5 minuti.

3. Aggiungere il resto degli ingredienti, mescolare, cuocere a fuoco medio per 25 minuti, distribuire nei piatti e servire.

Informazioni nutrizionali:calorie 348, grassi 18,2, fibre 2,1, carboidrati 11,4, proteine 34,3

Broccoli, cavolfiori e tofu conditi con cipolla rossa

Porzioni: 2

Tempo di cottura: 25 minuti

Ingredienti:

2 tazze di cimette di broccoli

2 tazze di cimette di cavolfiore

1 cipolla rossa media, tagliata a dadini

3 cucchiai di olio extra vergine di oliva

1 cucchiaino di sale

¼ di cucchiaino di pepe nero appena macinato

Tofu sodo da 1 libbra, tagliato a dadi da 1 pollice

1 spicchio d'aglio, tritato

1 pezzo di zenzero fresco (¼ di pollice), tritato

Istruzioni:

1. Preriscaldare il forno a 400°F.

2. Unisci i broccoli, il cavolfiore, la cipolla, l'olio, il sale e il pepe in una pirofila capiente e mescola bene.

3. Arrostire fino a quando le verdure saranno tenere, da 10 a 15 minuti.

4. Aggiungi il tofu, l'aglio e lo zenzero. Cuocere in 10 minuti.

5. Mescolare delicatamente gli ingredienti nella padella per unire il tofu alle verdure e servire.

Informazioni nutrizionali:Calorie 210 Grassi totali: 15 g Carboidrati totali: 11 g Zuccheri: 4 g Fibre: 4 g Proteine: 12 g Sodio: 626 mg

Porzioni in padella con fagioli e salmone: 4

Tempo di cottura: 25 minuti

Ingredienti:

1 tazza di fagioli neri in scatola, scolati e sciacquati 4 spicchi d'aglio, tritati

1 cipolla gialla, tritata

2 cucchiai di olio d'oliva

4 filetti di salmone disossati

½ cucchiaino di coriandolo, macinato

1 cucchiaino di curcuma in polvere

2 pomodori, tagliati a cubetti

½ tazza di brodo di pollo

Un pizzico di sale e pepe nero

½ cucchiaino di semi di cumino

1 cucchiaio di erba cipollina, tritata

Istruzioni:

1. Scaldare una padella con olio d'oliva a fuoco medio, aggiungere la cipolla e l'aglio e far rosolare per 5 minuti.

2. Aggiungi il pesce e rosolalo per 2 minuti su ciascun lato.

3. Aggiungere i fagioli e gli altri ingredienti, mescolare delicatamente e cuocere per altri 10 minuti.

4. Dividere il composto nei piatti e servire a pranzo.

Informazioni nutrizionali:calorie 219, grassi 8, fibre 8, carboidrati 12, proteine 8

Porzioni di zuppa di carote: 4

Tempo di cottura: 40 minuti

Ingredienti:

1 tazza di zucca butternut, tritata

1 cucchiaio. Olio

1 cucchiaio. polvere di curcuma

14 ½ oncia. Latte di cocco, leggero

3 tazze di carote, tritate

1 Porro, lavato e affettato

1 cucchiaio. Zenzero grattugiato

3 tazze di brodo vegetale

1 tazza di finocchio, tritato

Sale e pepe a piacere

2 spicchi d'aglio, tritati

Istruzioni:

1. Inizia riscaldando un forno olandese a fuoco medio-alto.

2. Per fare questo, aggiungete l'olio e aggiungete il finocchio, la zucca, la carota e il porro. Mescolare bene.

3. Ora rosola per 4-5 minuti o fino a quando saranno morbidi.

4. Quindi aggiungere la curcuma, lo zenzero, il peperoncino e l'aglio. Cuocere per altri 1 o 2 minuti.

5. Versare poi il brodo e il latte di cocco. Combina bene.

6. Quindi portare a ebollizione la miscela e coprire il forno olandese.

7. Lascia bollire per 20 minuti.

8. Una volta cotto, trasferite il composto in un frullatore ad alta velocità e frullate per 1 o 2 minuti o fino ad ottenere una zuppa cremosa ed omogenea.

9. Controlla il condimento e aggiungi altro sale e pepe se necessario.

Informazioni nutrizionali:Calorie: 210,4 KcalProteine: 2,11 gCarboidrati: 25,64 gGrassi: 10,91 g

Porzioni salutari di insalata di maccheroni: 6

Tempo di cottura: 10 minuti

Ingredienti:

1 confezione di fusilli senza glutine

1 tazza di pomodorini, a fette

1 manciata di coriandolo fresco, tritato

1 tazza di olive tagliate a metà

1 tazza di basilico fresco, tritato

½ tazza di olio d'oliva

Sale marino a piacere

Istruzioni:

1. Mescolare l'olio d'oliva, il basilico tritato, il coriandolo e il sale marino.

Lasciato da parte.

2. Cuocere la pasta secondo le istruzioni sulla confezione, scolare e sciacquare.

3. Aggiungete la pasta con i pomodorini e le olive.

4. Aggiungere la miscela di olio d'oliva e mescolare bene.

<u>Informazioni nutrizionali:</u>Carboidrati totali 66g Fibra alimentare: 5g
Proteine: 13g Grassi totali: 23g Calorie: 525

Porzioni di curry di ceci: da 4 a 6

Tempo di cottura: 25 minuti

Ingredienti:

2×15 once. Ceci lavati, scolati e cotti 2 cucchiai. Olio

1 cucchiaio. polvere di curcuma

½ di 1 cipolla tagliata a dadini

1 cucchiaino. Caienna, terrorizzata

4 spicchi d'aglio, tritati

2 cucchiaini. polvere di peperoncino

15 once Passata di pomodoro

Pepe nero quanto basta

2 cucchiai. Pasta di pomodoro

1 cucchiaino. Caienna, terrorizzata

½ cucchiaio. sciroppo d'acero

½ di 15 once. lattina di latte di cocco

2 cucchiaini. cumino, macinato

2 cucchiaini. Paprika affumicata

Istruzioni:

1. Scalda una padella capiente a fuoco medio-alto. Per fare questo, aggiungi l'olio.

2. Quando l'olio è caldo, aggiungere la cipolla e cuocere per 3-4

minuti o finché non si sarà ammorbidito.

3. Quindi aggiungere il concentrato di pomodoro, lo sciroppo d'acero, tutti i condimenti, la passata di pomodoro e l'aglio. Mescolare bene.

4. Aggiungere poi i ceci cotti insieme al latte di cocco, pepe nero e sale.

5. Ora mescola bene e lascia bollire per 8-10

minuti o finché non si sarà addensato.

6. Irrorare con succo di lime e guarnire con coriandolo, se lo si desidera.

Informazioni nutrizionali:Calorie: 224KcalProteine: 15,2gCarboidrati: 32,4gGrassi: 7,5g

Ingredienti Manzo Alla Stroganoff:

1 libbra di carne macinata magra

1 cipolla piccola tritata

1 spicchio d'aglio tritato

Funghi giovani affettati da 3/4 libbre

3 cucchiai di farina

2 tazze di brodo di carne

Sale e pepe a piacere

2 cucchiaini di salsa Worcestershire

3/4 tazza di panna

2 cucchiai di prezzemolo nuovo

Istruzioni:

1. Hamburger, cipolla e aglio macinati di colore scuro (facendo attenzione a non spaccare nulla sopra) su un piatto finché non rimane più nulla di rosa. Canale grasso.

2. Aggiungere i funghi tagliati e cuocere per 2-3 minuti. Mescolare la farina e cuocere progressivamente per 1 minuto.

3. Aggiungere il brodo, la salsa Worcestershire, sale e pepe e portare a ebollizione. Ridurre il fuoco e cuocere a fuoco basso per 10 minuti.

Cuocere le tagliatelle all'uovo come indicato nei titoli delle confezioni.

4. Togliere il composto di carne dal fuoco, aggiungere la panna e il prezzemolo.

5. Servire sugli spaghetti all'uovo.

Porzioni di costolette piccanti: 4

Tempo di cottura: 65 minuti

Ingredienti:

2 libbre costola di manzo

1 cucchiaino e mezzo di olio d'oliva

1 cucchiaio e mezzo di salsa di soia

1 cucchiaio di salsa Worchestershire

1 cucchiaio di stevia

1 tazza e ¼ di cipolla tritata.

1 cucchiaio di aglio tritato

1/2 bicchiere di vino rosso

⅓ tazza di ketchup, non zuccherato

Sale e pepe nero a piacere

Istruzioni:

1. Tagliare le costole in 3 segmenti e strofinarle con pepe nero e sale.

2. Aggiungi olio alla pentola istantanea e premi Saute.

3. Immergere le costolette nell'olio e rosolarle per 5 minuti su ciascun lato.

4. Aggiungere la cipolla e farla rosolare per 4 minuti.

5. Aggiungi l'aglio e cuoci per 1 minuto.

6. Sbattere il resto degli ingredienti in una ciotola e versarli sulle costolette.

7. Metti il coperchio a pressione e cuoci per 55 minuti in modalità Manuale ad Alta pressione.

8. Una volta pronto, rilasciare la pressione in modo naturale e rimuovere il coperchio.

9. Servire caldo.

Informazioni nutrizionali:Calorie 555, Carboidrati 12,8 g, Proteine 66,7 g, Grassi 22,3 g, Fibre 0,9 g

Porzioni di zuppa di noodle senza pollo e senza glutine: 4

Tempo di cottura: 25 minuti

Ingredienti:

¼ di tazza di olio extra vergine di oliva

3 gambi di sedano, tagliati a fette da ¼ di pollice

2 carote medie, tagliate a cubetti da ¼ di pollice

1 cipolla piccola, tagliata a cubetti da ¼ di pollice

1 rametto di rosmarino fresco

4 tazze di brodo di pollo

8 once di penne senza glutine

1 cucchiaino di sale

¼ di cucchiaino di pepe nero appena macinato

2 tazze di pollo arrosto a cubetti

¼ di tazza di prezzemolo fresco tritato finemente<u>Istruzioni:</u>

1. Scaldare l'olio a fuoco alto in una padella larga.

2. Aggiungere il sedano, la carota, la cipolla e il rosmarino e rosolarli fino a renderli morbidi, da 5 a 7 minuti.

3. Aggiungere il brodo, le penne, sale e pepe e portare a ebollizione.

4. Portare a ebollizione e cuocere fino a quando le penne saranno tenere, da 8 a 10 minuti.

5. Togliere ed eliminare il rametto di rosmarino e aggiungere il pollo e il prezzemolo.

6. Ridurre il calore al minimo. Cuocere in 5 minuti e servire.

Informazioni nutrizionali:Calorie 485 Grassi totali: 18 g Carboidrati totali: 47 g Zucchero: 4 g Fibre: 7 g Proteine: 33 g Sodio: 1423 mg

Porzioni di lenticchie al curry: 4

Tempo di cottura: 40 minuti

Ingredienti:

2 cucchiaini. semi di senape

1 cucchiaino. Zafferano, macinato

1 tazza di lenticchie, ammollate

2 cucchiaini. Semi di cumino

1 pomodoro, grosso e tritato

1 cipolla gialla, tritata finemente

4 tazze d'acqua

Sale marino quanto basta

2 Carote tagliate a mezze lune

3 manciate di foglie di spinaci tritate

1 cucchiaino. zenzero tritato

½ cucchiaino. polvere di peperoncino

2 cucchiai. Olio di cocco

Istruzioni:

1. Per prima cosa, metti i fagioli mung e l'acqua in una padella profonda a fuoco medio-alto.

2. Ora porta a ebollizione la miscela di fagioli e lasciala cuocere a fuoco lento.

3. Cuocere per 20-30 minuti o fino a quando i fagioli mung saranno teneri.

4. Successivamente, scalda l'olio di cocco in una padella larga a fuoco medio e aggiungi i semi di senape e di cumino.

5. Se i semi di senape scoppiano, aggiungi la cipolla. Soffriggere la cipolla per 4

minuti o finché non si saranno ammorbiditi.

6. Aggiungi l'aglio e continua a rosolare per un altro 1 minuto.

Una volta aromatico, aggiungere la curcuma e il peperoncino in polvere.

7. Quindi aggiungere la carota e il pomodoro: cuocere per 6 minuti o fino a quando saranno morbidi.

8. Infine aggiungete le lenticchie cotte e mescolate bene il tutto.

9. Aggiungere le foglie di spinaci e rosolarle fino ad appassimento. Togliere dal fuoco. Servire caldo e buon appetito.

Informazioni nutrizionali:Calorie 290Kcal Proteine: 14g Carboidrati: 43g Grassi: 8g

Porzioni di pollo fritto e piselli: 4

Tempo di cottura: 10 minuti

Ingredienti:

1 tazza e ¼ di petto di pollo disossato e senza pelle, tagliato a fettine sottili 3 cucchiai di coriandolo fresco, tritato

2 cucchiai di olio vegetale

2 cucchiai di semi di sesamo

1 mazzetto di erba cipollina, affettata sottilmente

2 cucchiaini di Sriracha

2 spicchi d'aglio, tritati

2 cucchiai di aceto di riso

1 peperone, tagliato a fettine sottili

3 cucchiai di salsa di soia

2½ tazze di fagiolini

Sale, a piacere

Pepe nero macinato fresco, a piacere

Istruzioni:

1. Scaldare l'olio in una padella a fuoco medio. Aggiungere l'aglio e l'erba cipollina tagliati sottili. Cuocere per un minuto, quindi aggiungere 2 tazze e ½ di piselli insieme al pepe. Cuocere fino a quando saranno teneri, circa 3-4 minuti.

2. Aggiungi il pollo e cuoci per circa 4-5 minuti o fino a cottura ultimata.

3. Aggiungi 2 cucchiaini di Sriracha, 2 cucchiai di semi di sesamo, 3

cucchiai di salsa di soia e 2 cucchiai di aceto di riso. Mescolare il tutto finché non sarà ben amalgamato. Cuocere entro 2-3 minuti a fuoco basso.

4. Aggiungi 3 cucchiai di coriandolo tritato e mescola bene. Trasferire e cospargere con semi di sesamo e coriandolo extra, se necessario. Godere!

Informazioni nutrizionali:228 calorie 11 g di grassi 11 g di carboidrati totali 20 g di proteine

Succosi broccoli con acciughe e mandorle

Porzioni: 6

Tempo di cottura: 10 minuti

Ingredienti:

2 mazzi di broccoli, mondati

1 cucchiaio di olio extravergine di oliva

1 peperoncino rosso fresco, senza semi, tritato finemente 2 spicchi d'aglio, tagliati a fettine sottili

¼ tazza di mandorle naturali, tritate grossolanamente

2 cucchiaini di scorza di limone, grattugiata finemente

Un po' di succo di limone, fresco

4 acciughe sott'olio tritate

Istruzioni:

1. Scaldare l'olio fino a quando sarà molto caldo in una padella larga. Aggiungete le acciughe sgocciolate, l'aglio, il pepe e la scorza di limone. Cuocere fino a quando non diventa aromatico, 30

secondi, mescolando continuamente. Aggiungete le mandorle e continuate a cuocere per un altro minuto, mescolando continuamente. Togliere dal fuoco e aggiungere un po' di succo di limone fresco.

2. Metti quindi i broccoli in un cestello per la cottura a vapore sopra una pentola di acqua bollente. Coprire e cuocere fino a quando diventano croccanti, per 2

a 3 minuti. Scolare bene e trasferire su un piatto grande. Coprire con il composto di mandorle. Godere.

Informazioni nutrizionali:kcal 350 Grassi: 7 g Fibre: 3 g Proteine: 6 g

Porzioni di polpette di shiitake e spinaci: 8

Tempo di cottura: 15 minuti

Ingredienti:

1 tazza e ½ di funghi shiitake tritati

1 tazza e ½ di spinaci, tritati

3 spicchi d'aglio, tritati

2 cipolle, tritate

4 cucchiaini. olio

1 uovo

1 tazza e ½ di quinoa, cotta

1 cucchiaino e ½. condimento italiano

1/3 tazza di semi di girasole tostati, macinati

1/3 tazza di pecorino grattugiato

Istruzioni:

1. Scaldare l'olio in una padella. Una volta caldi, rosolare i funghi shiitake per 3 minuti o fino a quando saranno leggermente dorati. Aggiungere l'aglio e la

cipolla. Rosolare per 2 minuti o fino a quando sarà fragrante e traslucido. Lasciato da parte.

2. Nella stessa padella, scaldare l'olio d'oliva rimanente. Aggiungere gli spinaci. Abbassare la fiamma, cuocere per 1 minuto, scolare e trasferire in uno scolapasta.

3. Tritare finemente gli spinaci e aggiungerli al composto di funghi. Aggiungere l'uovo al composto di spinaci. Incorporare la quinoa cotta, condire con condimento italiano e mescolare bene. Cospargere semi di girasole e formaggio.

4. Dividere il composto di spinaci in polpette – cuocere le polpette in 5

minuti o fino a quando saranno sodi e dorati. Servire con panino per hamburger.

Informazioni nutrizionali:Calorie 43 Carboidrati: 9 g Grassi: 0 g Proteine: 3 g

Porzioni di insalata di broccoli e cavolfiori: 6

Tempo di cottura: 20 minuti

Ingredienti:

¼ cucchiaino. Pepe nero, macinato

3 tazze di cimette di cavolfiore

1 cucchiaio. Aceto

1 cucchiaino. Miele

8 tazze di cavolo riccio tritato

3 tazze di cimette di broccoli

4 cucchiai. Olio extravergine d'oliva

½ cucchiaino. sale

1 cucchiaino e ½. senape di Digione

1 cucchiaino. Miele

½ tazza di ciliegie essiccate

1/3 tazza di noci, tritate

1 tazza di formaggio Manchego, rasato

Istruzioni:

1. Preriscaldare il forno a 450°F e posizionare una teglia sulla griglia centrale.

2. Metti quindi le cimette di cavolfiore e broccoli in una ciotola capiente.

3. Per fare questo, aggiungi metà del sale, due cucchiai di olio d'oliva e pepe. Mescolare bene.

4. Ora trasferisci il composto nella padella preriscaldata e inforna per 12 minuti, girando una volta a metà cottura.

5. Quando sarà morbida e dorata, sfornatela e lasciatela raffreddare completamente.

6. Nel frattempo, in un'altra ciotola, mescolare i restanti due cucchiai di olio, aceto, miele, senape e sale.

7. Spennellate questo composto sulle foglie di cavolo, massaggiando le foglie con le mani. Mettere da parte per 3-5 minuti.

8. Infine, unisci le verdure arrostite, il formaggio, le ciliegie e le noci pecan all'insalata di broccoli e cavolfiori.

Informazioni nutrizionali:Calorie: 259KcalProteine: 8,4gCarboidrati: 23,2gGrassi: 16,3g

Insalata di pollo con tocco cinese Porzioni: 3

Tempo di cottura: 25 minuti

Ingredienti:

1 cipolla verde media (a fette sottili)

2 petti di pollo disossati

2 c. di zuppa di salsa di soia

¼ cucchiaino di pepe bianco

1 cucchiaio di olio di sesamo

4 tazze di lattuga romana (tritata)

1 tazza di cavolo (tritato)

¼ di tazza di carota a cubetti

¼ tazza di mandorle affettate sottilmente

¼ tazza di pasta (solo per servire)

Per preparare la salsa cinese:

1 spicchio d'aglio, tritato

1 cucchiaino di salsa di soia

1 cucchiaio di olio di sesamo

2 cucchiai di aceto di riso

1 cucchiaio di zucchero

Istruzioni:

1. Prepara la salsa cinese sbattendo tutti gli ingredienti in una ciotola.

2. In una ciotola, marinare i petti di pollo con aglio, olio d'oliva, salsa di soia e pepe bianco per 20 minuti.

3. Metti la teglia nel forno preriscaldato (a 225°C).

4. Disporre i petti di pollo sulla teglia e cuocere per circa 20 minuti

minuti.

5. Per assemblare l'insalata, mescolare la lattuga, il cavolo, le carote e l'erba cipollina.

6. Per servire, posizionare un pezzo di pollo su un piatto e sopra l'insalata. Versateci sopra un po' di salsa accanto alla pasta.

Informazioni nutrizionali:Calorie 130 Carboidrati: 10 g Grassi: 6 g Proteine: 10 g

Porzioni di peperoni ripieni di amaranto e quinoa: 4

Tempo di cottura: 1 ora e 10 minuti

Ingredienti:

2 cucchiai di amaranto

1 zucchina media, tagliata, grattugiata

2 pomodori maturi, tagliati a cubetti

2/3 di tazza (circa 135 g) di quinoa

1 cipolla di media grandezza, tritata finemente

2 spicchi d'aglio schiacciati

1 cucchiaino di cumino macinato

2 cucchiai di semi di girasole leggermente tostati 75 g di ricotta fresca

2 cucchiai di ribes

4 peperoni grandi, tagliati a metà nel senso della lunghezza e privati dei semi 2 cucchiai di prezzemolo piatto, tritato grossolanamente Istruzioni:

1. Foderare una teglia, preferibilmente grande, con carta da forno (antiaderente) e preriscaldare il forno a 180°C in anticipo. Riempire una

padella media con circa mezzo litro d'acqua e aggiungere l'amaranto e la quinoa; portare ad ebollizione a fuoco moderato. Una volta terminato, ridurre il fuoco al minimo; coprire e cuocere a fuoco lento fino a quando i fagioli saranno al dente e l'acqua sarà stata assorbita, da 12 a 15

minuti. Togliere dal fuoco e mettere da parte.

2. Nel frattempo, ungere leggermente una padella grande con olio e scaldare a fuoco medio. Una volta caldo, aggiungete la cipolla e le zucchine e fate cuocere finché saranno morbide, per qualche minuto, mescolando continuamente. Aggiungi cumino e aglio; cuocere per un minuto. Togliere dal fuoco e mettere da parte a raffreddare.

3. Disporre in una pirofila refrattaria, preferibilmente ampia, la granella, il composto di cipolla, il girasole, il ribes, il prezzemolo, la ricotta e il pomodoro; mescolare bene gli ingredienti finché non saranno ben amalgamati e condire con pepe e sale a piacere.

4. Farcire i peperoni con il composto di quinoa preparato e disporli nella padella, coprendo la padella con un foglio di alluminio. Cuocere per 17-20

minuti. Togliere la pellicola e cuocere fino a quando il ripieno sarà dorato e le verdure saranno tenere, altri 15-20 minuti.

Informazioni nutrizionali:kcal 200 Grassi: 8,5 g Fibre: 8 g Proteine: 15 g

Filetto di pesce croccante con crosta di formaggio Porzioni: 4

Tempo di cottura: 10 minuti

Ingredienti:

¼ tazza di pangrattato integrale

¼ tazza di parmigiano grattugiato

¼ cucchiaino di sale marino ¼ cucchiaino di pepe macinato

1 cucchiaio. Olio d'oliva 4 pezzi di filetti di tilapia

Istruzioni:

1. Preriscaldare il forno a 180°C.

2. In una ciotola mescolare il pangrattato, il parmigiano, il sale, il pepe e l'olio d'oliva.

3. Mescolare bene fino ad ottenere un composto ben amalgamato.

4. Rivestire i filetti con il composto e adagiarli ciascuno su una teglia leggermente unta.

5. Metti la teglia nel forno.

6. Cuocere per 10 minuti fino a quando i filetti saranno cotti e dorati.

Informazioni nutrizionali:Calorie: 255Grassi: 7gProteine: 15,9gCarboidrati: 34gFibre: 2,6g

Fagioli proteici energetici e gusci verdi ripieni

Ingredienti:

Sale genuino o marino

Olio

12 once conchiglie delle dimensioni di una confezione (circa 40) 1 libbra. spinaci tagliati solidificati

2 o 3 spicchi d'aglio, sbucciati e divisi

da 15 a 16 once ricotta cheddar (idealmente tutta grassa/latte intero) 2 uova

1 barattolo di fagioli bianchi, (es. cannellini), scolati e lavati

½ tazza di pesto verde, preparato su misura o acquistato localmente Pepe nero macinato

3 C (o più) salsa marinara

Parmigiano o pecorino macinato (a discrezione)Istruzioni:

1. Scaldare almeno 5 litri di acqua fino all'ebollizione in una padella capiente (o lavorare in due pezzi più piccoli). Aggiungere un cucchiaio di sale, un pizzico di olio d'oliva e le bucce. Lasciarlo bollire per circa 9 minuti (o fino a quando non sarà molto solido), mescolando sporadicamente per mantenere

i gusci isolati. Scolare delicatamente le bucce in uno scolapasta o toglierle dall'acqua con un cucchiaio aperto. Lavare velocemente con acqua fredda. Rivestire un foglio riscaldante bordato con pellicola trasparente. Quando le bucce sono abbastanza fredde da poter essere maneggiate, separarle a mano, eliminando l'acqua in eccesso e posizionando l'apertura in uno strato solitario nel contenitore delle foglie. Stendetelo progressivamente con la pellicola trasparente quando sarà praticamente freddo.

2. Porta ad ebollizione qualche litro d'acqua (o usa l'acqua rimasta della pasta se non l'hai versata) in una pentola simile. Aggiungere gli spinaci solidificati e cuocere per tre minuti a fuoco vivace, finché saranno teneri. Fodera lo scolapasta con carta assorbente imbevuta se le aperture sono grandi, quindi aggiungi gli spinaci. Metti lo scolapasta sopra una ciotola per scolarne di più mentre inizi a riempire.

3. Basta aggiungere l'aglio in un robot da cucina e frullare fino a quando non sarà tritato finemente e si attaccherà ai lati. Raschiare i lati della ciotola, aggiungere la ricotta, le uova, i fagioli, il pesto, 1½

cucchiaini di sale e qualche macinata di pepe (una bella strizzata). Premi gli spinaci in mano per eliminare completamente l'acqua rimanente, quindi aggiungi gli altri ingredienti nel robot da cucina. Scolare finché non sarà praticamente omogeneo, con qualche pezzetto di spinaci ancora visibile. Io propendo a non assaggiarlo dopo aver aggiunto l'uovo crudo, ma se lo trovi un po' basico, modifica il sapore a piacere.

4. Preriscaldare la griglia a 350 (F) e ungere o oliare delicatamente una griglia da 9 x 13 pollici

padella, più un altro piatto più piccolo per gulasch (circa 8-10 mestoli non entrano nel formato 9 x 13). Per riempire i gusci, prendetene uno alla volta, tenendolo aperto con il pollice e l'indice della mano non dominante. Prendi da 3 a 4 cucchiai con l'altra mano e raschialo sulla pelle. La maggior parte di loro non avrà un bell'aspetto, il che va bene! Posiziona i gusci riempiti uno accanto all'altro nel contenitore preparato. Distribuire la salsa sui gusci, lasciando inconfondibili pezzetti del ripieno verde. Stendere il contenitore con lo stampo e preparare per 30 minuti. Aumentare il fuoco a 375 (F), cospargere i gusci con un po' di parmigiano macinato (se utilizzato) e scaldare per altri 5

a 10 minuti fino a quando il cheddar si scioglie e l'abbondante umidità diminuisce.

5. Lascia raffreddare per 5-10 minuti, quindi servi da solo o con un piatto fresco di verdure miste come ripensamento!

Ingredienti per l'insalata di noodle asiatici:

8 once di pasta integrale leggera - ad esempio spaghetti (utilizzare i noodles di soba per renderli senza glutine) 24 once di Mann's Broccoli Cole Slaw - 2 sacchetti da 12 once 4 once di carote macinate

1/4 tazza di olio extra vergine di oliva

1/4 tazza di aceto di riso

3 cucchiai di nettare: usa il nettare di agave leggero per creare un amante dei vegetariani

3 cucchiai di pasta di noci liscia

2 cucchiai di salsa di soia a basso contenuto di sodio - senza glutine se necessario 1 cucchiaio di salsa piccante Sriracha - o salsa all'aglio, più extra a piacere

1 cucchiaio di zenzero giovane tritato

2 cucchiaini di aglio tritato – circa 4 spicchi 3/4 tazza di arachidi non salate grigliate – solitamente tagliate a pezzi 3/4 tazza di coriandolo giovane – tritato finemente

Istruzioni:

1. Scaldare una grande pentola di acqua salata fino al punto di ebollizione. Cuocere la pasta fino a quando sarà un po' soda, come indicato nelle

indicazioni sulla confezione. Scolatele e sciacquatele velocemente con acqua fredda per eliminare l'amido in eccesso e fermare la cottura, quindi trasferitele in una ciotola capiente. Includere broccoli, insalata di cavolo e carote.

2. Mentre le tagliatelle cuociono, unire l'olio d'oliva, l'aceto di riso, il nettare, la pasta di noci, la salsa di soia, la Sriarcha, lo zenzero e l'aglio. Versare sul composto di pasta e mescolare per consolidare. Aggiungere le arachidi e il coriandolo e sbattere ancora. Servire freddo o a temperatura ambiente con salsa Sriracha extra a piacere.

3. Note sulla formula

4. L'insalata di noodle asiatici può essere servita fredda o a temperatura ambiente.

Conserva gli avanzi in frigorifero in un contenitore a tenuta d'acqua/aria per un massimo di 3 giorni.

Porzioni di salmone e fagiolini: 4

Tempo di cottura: 26 minuti

Ingredienti:

2 cucchiai di olio d'oliva

1 cipolla gialla, tritata

4 filetti di salmone disossati

1 tazza di fagiolini, mondati e tagliati a metà

2 spicchi d'aglio, tritati

½ tazza di brodo di pollo

1 cucchiaino di peperoncino in polvere

1 cucchiaino di paprika dolce

Un pizzico di sale e pepe nero

1 cucchiaio di coriandolo, tritato

Istruzioni:

1. Scaldare una padella con l'olio d'oliva a fuoco medio, aggiungere la cipolla, mescolare e far rosolare per 2 minuti.

2. Aggiungi il pesce e rosolalo per 2 minuti su ciascun lato.

3. Aggiungi il resto degli ingredienti, mescola delicatamente e inforna il tutto a 180°C per 20 minuti.

4. Dividere il tutto nei piatti e servire a pranzo.

<u>Informazioni nutrizionali:</u>calorie 322, grassi 18,3, fibre 2, carboidrati 5,8, proteine 35,7

Pollo ripieno al formaggio Ingredienti:

2 cipolline (tritate grossolanamente)

2 jalapeños senza semi (tagliati a pezzi)

1/4 ca. coriandolo

1 cucchiaino. tocco di limone

4 once. Monterey Jack Cheddar (macinato grossolanamente) 4 petti di pollo disossati e senza pelle

3 cucchiai. olio

sale

Pepe

3 cucchiai. Limonata

2 peperoni (tritati finemente)

1/2 cipolla rossa piccola (tritata grossolanamente)

5 c. lattuga romana strappata

Istruzioni:

1. Riscaldare la griglia a 450 ° F. In una ciotola, unisci le cipolle verdi e i jalapeños senza semi, 1/4 di tazza di coriandolo (a fette) e il lime, quindi aggiungi il cheddar Monterey Jack.

2. Posiziona la lama sul pezzo più spesso di ciascun petto di pollo disossato e senza pelle e muoviti avanti e indietro per creare una tasca da 2 1/2 pollici quanto più ampia possibile senza provare. Farcire il pollo con il composto di cheddar.

3. Scaldare 2 cucchiai di olio d'oliva in una padella capiente a fuoco medio.

Condire il pollo con sale e pepe e cuocere finché non diventa più scuro su un lato, da 3 a 4 minuti. Girare il pollo e grigliarlo fino a cottura ultimata, da 10 a 12 minuti.

4. Nel frattempo, in una ciotola capiente, sbatti insieme il succo di limone, 1

cucchiaio di olio d'oliva e 1/2 cucchiaino di sale. Aggiungete il peperone e la cipolla rossa e lasciate riposare per 10 minuti, mescolando di tanto in tanto. Condire con lattuga romana e 1 tazza di coriandolo giovane. Presentare con fette di pollo e limone.

Rucola con Salsa al Gorgonzola Porzioni: 4

Tempo di cottura: 0 minuti

Ingredienti:

1 mazzetto di rucola, pulita

1 pera, tagliata a fettine sottili

1 cucchiaio di succo di limone fresco

1 spicchio d'aglio, ammaccato

1/3 tazza di gorgonzola, sbriciolato

1/4 tazza di brodo vegetale, a ridotto contenuto di sodio

pepe appena macinato

4 cucchiaini di olio d'oliva

1 cucchiaio di aceto di sidro

Istruzioni:

1. Metti le fette di pera e il succo di limone in una ciotola. Mescolare per ricoprire.

Disporre le fette di pera, insieme alla rucola, su un piatto da portata.

2. In una ciotola, mescolare l'aceto, l'olio, il formaggio, il brodo, il pepe e l'aglio. Lasciare agire per 5 minuti, eliminare l'aglio. Aggiungete la salsa e servite subito.

Informazioni nutrizionali:Calorie 145 Carboidrati: 23 g Grassi: 4 g Proteine: 6 g

Porzioni di zuppa di cavolo: 6

Tempo di cottura: 35 minuti

Ingredienti:

1 cipolla gialla, tritata

1 testa di cavolo verde tritato

2 cucchiai di olio d'oliva

5 tazze di brodo vegetale

1 carota, sbucciata e grattugiata

Un pizzico di sale e pepe nero

1 cucchiaio di coriandolo, tritato

2 cucchiaini di timo, tritato

½ cucchiaino di paprika affumicata

½ cucchiaino di paprika piccante

1 cucchiaio di succo di limone

Porzioni di riso al cavolfiore: 4

Tempo di cottura: 10 minuti

Ingredienti:

¼ di tazza di olio da cucina

1 cucchiaio. Olio di cocco

1 cucchiaio. zucchero di cocco

4 tazze di cavolfiore, diviso in cimette ½ cucchiaino. sale

Istruzioni:

1. Per prima cosa, lavora il cavolfiore in un robot da cucina e lavoralo per 1 o 2 minuti.

2. Scaldare l'olio in una padella larga a fuoco medio e aggiungere il cavolfiore tritato, lo zucchero di cocco e il sale.

3. Mescolare bene e cuocere per 4-5 minuti o fino a quando il cavolfiore sarà leggermente tenero.

4. Infine, versa il latte di cocco e buon appetito.

Informazioni nutrizionali:Calorie 108Kcal Proteine: 27,1 g Carboidrati: 11 g Grassi: 6 g

Porzioni di frittata di feta e spinaci: 4

Tempo di cottura: 10 minuti

Ingredienti:

½ cipolla rossa piccola

250 g di spinaci novelli

½ tazza di formaggio feta

1 c. di zuppa di pasta d'aglio

4 uova sbattute

Miscela di condimenti

Sale e pepe a piacere

1 cucchiaio di olio d'oliva

Istruzioni:

1. Aggiungere all'olio una cipolla tritata finemente e farla rosolare a fuoco medio.

2. Aggiungi gli spinaci alle cipolle marrone chiaro e mescola per 2 minuti.

3. Nelle uova, aggiungere il composto freddo di spinaci e cipolle.

4. Ora aggiungi la pasta d'aglio, sale e pepe e mescola il composto.

5. Cuocere questo composto a fuoco basso e mescolare delicatamente le uova.

6. Aggiungere il formaggio feta sulle uova e posizionare la padella sotto la griglia preriscaldata.

7. Cuocere per circa 2 o 3 minuti fino a quando la frittata sarà dorata.

8. Servi questa frittata di feta calda o fredda.

<u>Informazioni nutrizionali:</u>Calorie 210 Carboidrati: 5 g Grassi: 14 g Proteine: 21 g

Ingredienti degli adesivi per la pentola di pollo infuocato:

1 chilo di pollo macinato

1/2 tazza di cavolo tritato

1 carota, sbucciata e tritata

2 spicchi d'aglio, spremuti

2 cipolle verdi, affettate finemente

1 cucchiaio di salsa di soia a ridotto contenuto di sodio

1 cucchiaio di salsa hoisin

1 cucchiaio di zenzero macinato naturalmente

2 cucchiaini di olio di sesamo

1/4 cucchiaino di pepe bianco macinato

Imballaggio da 36 tonnellate

2 cucchiai di olio vegetale

PER LA SALSA ALL'OLIO AL PEPERONCINO:

1/2 tazza di olio vegetale

1/4 tazza di peperoncino rosso essiccato, tritato

2 spicchi d'aglio, tritati

Istruzioni:

1. Scaldare l'olio vegetale in una padella a fuoco medio. Mescolare i peperoni e l'aglio tritati, mescolando di tanto in tanto, fino a quando l'olio raggiunge i 180 gradi F, circa 8-10 minuti; collocare in un luogo sicuro.

2. In una ciotola capiente, unisci pollo, cavolo, carote, aglio, scalogno, salsa di soia, salsa hoisin, zenzero, olio di sesamo e pepe bianco.

3. Per raccogliere i ravioli, posizionare gli involucri su un piano di lavoro.

Metti 1 cucchiaio di composto di pollo al centro di ogni confezione. Usando il dito, strofina i bordi degli involucri con acqua. Ripiegare il composto sul ripieno per formare una mezzaluna, pizzicando insieme i bordi per sigillare.

4. Scaldare l'olio vegetale in una padella capiente a fuoco medio.

Aggiungi gli adesivi per pentole in un unico strato e cuoci fino a quando diventano lucidi e freddi, circa 2-3 minuti per lato.

5. Servire immediatamente con salsa calda all'olio di spezzatino.

Gamberetti all'aglio con cavolfiore gratinato

Porzioni: 2

Tempo di cottura: 15 minuti

Ingredienti:

Per Preparare I Gamberetti

1 libbra di gamberetti

2-3 cucchiai di condimento cajun

sale

1 cucchiaio di burro/burro chiarificato

Per preparare la granella di cavolfiore

2 cucchiai di burro chiarificato

12 once di cavolfiore

1 spicchio d'aglio

Sale a piacere

Istruzioni:

1. Lessare il cavolfiore e l'aglio in 8 once di acqua a fuoco medio finché sono teneri.

2. Frulla il tenero cavolfiore in un robot da cucina con il burro chiarificato. Aggiungere gradualmente l'acqua fumante fino alla giusta consistenza.

3. Cospargere 2 cucchiai di condimento Cajun sui gamberi e marinare.

4. In una padella capiente, aggiungi 3 cucchiai di burro chiarificato e cuoci i gamberi a fuoco medio.

5. Metti un cucchiaio abbondante di chicchi di cavolfiore nella ciotola e guarnisci con i gamberi fritti.

Informazioni nutrizionali:Calorie 107 Carboidrati: 1g Grassi: 3g Proteine: 20g

Porzioni di tonno con broccoli: 1

Tempo di cottura: 10 minuti

Ingredienti:

1 cucchiaino. Olio extravergine d'oliva

3 once Tonno in acqua, preferibilmente leggero e denso, sgocciolato 1 cucchiaio. Noci, tritate grossolanamente

2 tazze di broccoli, tritati finemente

½ cucchiaino. Salsa piccante

Istruzioni:

1. Inizia mescolando i broccoli, i condimenti e il tonno in una ciotola capiente fino a quando non saranno ben amalgamati.

2. Quindi cuoci le verdure nel forno a microonde per 3 minuti o fino a quando saranno tenere

3. Quindi aggiungere le noci e l'olio d'oliva nella ciotola e mescolare bene.

4. Servi e divertiti.

Informazioni nutrizionali:Calorie 259Kcal Proteine: 27,1 g Carboidrati: 12,9 g Grassi: 12,4 g

Zuppa di zucchine con gamberetti Porzioni: 4

Tempo di cottura: 20 minuti

Ingredienti:

3 cucchiai di burro non salato

1 cipolla rossa piccola, tritata finemente

1 spicchio d'aglio, affettato

1 cucchiaino di curcuma

1 cucchiaino di sale

¼ di cucchiaino di pepe nero appena macinato

3 tazze di brodo vegetale

2 tazze di zucca sbucciata, tagliata a cubetti da ¼ di pollice 1 libbra di gamberetti sgusciati cotti, scongelati se necessario 1 tazza di latte di mandorle non zuccherato

¼ tazza di mandorle a fette (facoltativo)

2 cucchiai di prezzemolo fresco tritato finemente 2 cucchiaini di scorza di limone grattugiata o tritata

Istruzioni:

1. Sciogliere il burro a fuoco alto in una pentola capiente.

2. Aggiungere la cipolla, l'aglio, la curcuma, sale e pepe e far rosolare fino a quando le verdure saranno morbide e traslucide, da 5 a 7 minuti.

3. Aggiungere il brodo e la zucca e portare a ebollizione.

4. Lascia bollire per 5 minuti.

5. Aggiungi i gamberetti e il latte di mandorle e cuoci finché non saranno completamente riscaldati, circa 2 minuti.

6. Cospargere con le mandorle (se utilizzate), il prezzemolo e la scorza di limone e servire.

Informazioni nutrizionali:Calorie 275 Grassi totali: 12g Carboidrati totali: 12g Zucchero: 3g Fibre: 2g Proteine: 30g Sodio: 1665mg

Gustose polpette di tacchino al forno Porzioni: 6

Tempo di cottura: 30 minuti

Ingredienti:

1 libbra di tacchino macinato

½ tazza di pangrattato fresco bianco o integrale ½ tazza di parmigiano grattugiato fresco

½ cucchiaio. basilico, fresco tritato

½ cucchiaio. origano, fresco tritato

1 uovo grande, sbattuto

1 cucchiaio. prezzemolo, fresco tritato

3 cucchiai di latte o acqua

Un pizzico di sale e pepe

Un pizzico di noce moscata appena grattugiata

Istruzioni:

1. Preriscaldare il forno a 180°C.

2. Foderare due teglie con carta da forno.

3. Mescolare tutti gli ingredienti in una ciotola capiente.

4. Forma con il composto delle palline da 1 pollice e posiziona ciascuna pallina sulla teglia.

5. Metti la teglia nel forno.

6. Arrostire per 30 minuti o fino a quando il tacchino sarà cotto e le superfici saranno dorate.

7. Girare le polpette a metà cottura.

Informazioni nutrizionali:Calorie: 517 CalGrassi: 17,2 g Proteine: 38,7 g Carboidrati: 52,7 g Fibre: 1 g

Porzioni di zuppa di vongole chiara: 4

Tempo di cottura: 15 minuti

Ingredienti:

2 cucchiai di burro non salato

2 carote medie, tagliate a pezzi da ½ pollice

2 gambi di sedano, tagliati a fettine sottili

1 cipolla rossa piccola, tagliata a cubetti da ¼ di pollice

2 spicchi d'aglio, affettati

2 tazze di brodo vegetale

1 bottiglia (8 once) di succo di vongole

1 (10 once) di vongole

½ cucchiaino di timo secco

½ cucchiaino di sale

¼ di cucchiaino di pepe nero appena macinato

Istruzioni:

1. Sciogliere il burro in una padella capiente a fuoco alto.

2. Aggiungere le carote, il sedano, la cipolla e l'aglio e rosolare fino a quando leggermente ammorbiditi, da 2 a 3 minuti.

3. Aggiungere il brodo e il succo delle vongole e portare a ebollizione.

4. Portare a ebollizione e cuocere fino a quando le carote saranno tenere, da 3 a 5 minuti.

5. Aggiungere le vongole con il loro sugo, il timo, sale e pepe, scaldare per 2 o 3 minuti e servire.

Informazioni nutrizionali:Calorie 156 Grassi totali: 7g Carboidrati totali: 7g Zuccheri: 3g Fibre: 1g Proteine: 14g Sodio: 981mg

Porzioni di riso e pollo: 4

Tempo di cottura: 25 minuti

Ingredienti:

1 libbra di petto di pollo ruspante, disossato e senza pelle, ¼ di tazza di riso integrale

¾ lb di funghi a scelta, affettati

1 porro tritato

¼ tazza di mandorle, tritate

1 tazza d'acqua

1 cucchiaio. olio

1 tazza di fagiolini

½ tazza di aceto di mele

2 cucchiai. Farina di frumento

1 tazza di latte, magro

¼ tazza di parmigiano, grattugiato fresco

¼ tazza di panna

Un pizzico di sale marino, aggiungerne altro se necessario

pepe nero appena macinato, a piacere

Istruzioni:

1. Versare il riso integrale in una padella. Aggiungere acqua. Coprire e lasciare bollire. Abbassate la fiamma e lasciate cuocere per 30 minuti o fino a quando il riso sarà cotto.

2. Nel frattempo, in una padella, aggiungere il petto di pollo e versare abbastanza acqua da coprirlo, quindi aggiustare di sale. Portare a ebollizione la miscela, abbassare la fiamma e cuocere a fuoco lento per 10 minuti.

3. Distruggi il pollo. Lasciato da parte.

4. Riscaldare l'olio. Cuocere il porro fino a renderlo morbido. Aggiungere i funghi.

5. Versare l'aceto di mele nella miscela. Fate rosolare il composto finché l'aceto non sarà evaporato. Aggiungi la farina e il latte nella padella.

Spolverizzate il parmigiano e aggiungete la panna. Condire con pepe nero.

6. Preriscaldare il forno a 350 gradi F. Ungere leggermente una casseruola con olio.

7. Distribuire il riso cotto nella pirofila, quindi sopra il pollo sminuzzato e i fagiolini. Aggiungere i funghi e la salsa di porri.

Metti le mandorle sopra.

8. Cuocere per 20 minuti o fino a doratura. Lasciare raffreddare prima di servire.

Informazioni nutrizionali:Calorie 401 Carboidrati: 54 g Grassi: 12 g Proteine: 20 g

Porzioni di miscuglio di gamberetti saltati alla Jambalaya: 4

Tempo di cottura: 30 minuti

Ingredienti:

10 once gamberetti medi sgusciati

¼ tazza di sedano tritato ½ tazza di cipolla tritata

1 cucchiaio. olio o burro ¼ di cucchiaino di aglio tritato

¼ di cucchiaino di sale di cipolla o sale marino

⅓ tazza di salsa di pomodoro ½ cucchiaino di paprika affumicata

½ cucchiaino di salsa Worcestershire

⅔ tazza di carota tritata

1 tazza e ¼ di salsiccia di pollo, precotta e tagliata a cubetti 2 tazze di lenticchie, ammollate per una notte e precotte 2 tazze di gombo tritato

Un pizzico di peperoncino tritato e pepe nero grattugiato e parmigiano per guarnire (facoltativo)Istruzioni:

1. Soffriggere i gamberi, il sedano e la cipolla con l'olio d'oliva in una padella a fuoco medio per cinque minuti o fino a quando i gamberi diventano rosa.

2. Aggiungere il resto degli ingredienti e far rosolare per 10

minuti o fino a quando le verdure saranno tenere.

3. Per servire, dividere uniformemente la miscela di jambalaya in quattro

ciotole.

4. Completare con pepe e formaggio, se lo si desidera.

Informazioni nutrizionali:Calorie: 529Grassi: 17,6 gProteine: 26,4 gCarboidrati: 98,4 gFibre: 32,3 g

Porzioni di pollo e peperoncino: 6

Tempo di cottura: 1 ora

Ingredienti:

1 cipolla gialla, tritata

2 cucchiai di olio d'oliva

2 spicchi d'aglio, tritati

1 chilo di petto di pollo, senza pelle, disossato e tagliato a dadini 1 peperone verde, tritato

2 tazze di brodo di pollo

1 cucchiaio di cacao in polvere

2 cucchiai di peperoncino in polvere

1 cucchiaino di paprika affumicata

1 tazza di pomodori in scatola tritati

1 cucchiaio di coriandolo, tritato

Un pizzico di sale e pepe nero

Istruzioni:

1. Scaldare una padella con olio d'oliva a fuoco medio, aggiungere la cipolla e l'aglio e far rosolare per 5 minuti.

2. Aggiungere la carne e farla rosolare per altri 5 minuti.

3. Aggiungere il resto degli ingredienti, mescolare, cuocere a fuoco medio per 40 minuti.

4. Dividi il peperoncino in ciotole e servilo per pranzo.

Informazioni nutrizionali:calorie 300, grassi 2, fibre 10, carboidrati 15, proteine 11

Porzioni di zuppa di aglio e lenticchie: 4

Tempo di cottura: 15 minuti

Ingredienti:

2 cucchiai di olio extra vergine di oliva

2 carote medie, affettate sottilmente

1 cipolla bianca piccola, tagliata a cubetti da ¼ di pollice

2 spicchi d'aglio, affettati sottilmente

1 cucchiaino di cannella in polvere

1 cucchiaino di sale

¼ di cucchiaino di pepe nero appena macinato

3 tazze di brodo vegetale

1 lenticchie (15 once), scolate e sciacquate 1 cucchiaio di scorza d'arancia tritata o grattugiata

¼ di tazza di noci tritate (facoltativo)

2 cucchiai di prezzemolo fresco a foglia liscia tritato finemente Istruzioni:

1. Scaldare l'olio a fuoco alto in una padella larga.

2. Aggiungere la carota, la cipolla e l'aglio e rosolare fino a quando saranno ammorbiditi, da 5 a 7

minuti.

3. Aggiungi la cannella, il sale e il pepe e mescola per ricoprire uniformemente le verdure, da 1 a 2 minuti.

4. Aggiungere il brodo e portare a ebollizione. Portate a cottura, aggiungete le lenticchie e fate cuocere per 1 minuto.

5. Aggiungere la scorza d'arancia e servire cosparso di noci (se utilizzate) e prezzemolo.

<u>Informazioni nutrizionali:</u>Calorie 201 Grassi totali: 8g Carboidrati totali: 22g Zucchero: 4g Fibre: 8g Proteine: 11g Sodio: 1178mg

Zucchine piccanti e pollo nella classica frittura di Santa Fe

Porzioni: 2

Tempo di cottura: 15 minuti

Ingredienti:

1 cucchiaio. olio

2 pezzi di petto di pollo, affettati

1 cipolla piccola, tagliata a dadini

2 spicchi d'aglio, 1 pezzo di zucchina tritata, ½ tazza di carota grattugiata tagliata a dadini

1 cucchiaino di paprika affumicata 1 cucchiaino di cumino macinato

½ cucchiaino di peperoncino in polvere ¼ di cucchiaino di sale marino

2 cucchiai. succo di limone fresco

¼ di tazza di coriandolo, appena tritato

Riso integrale o quinoa, al momento di servire

Istruzioni:

1. Soffriggere il pollo con olio d'oliva per circa 3 minuti finché il pollo non diventa dorato. Lasciato da parte.

2. Usa lo stesso wok e aggiungi la cipolla e l'aglio.

3. Cuocere fino a quando la cipolla sarà morbida.

4. Aggiungi la carota e le zucchine.

5. Mescolare il composto e cuocere per circa un minuto.

6. Aggiungi tutti i condimenti al composto e mescola per cuocere per un altro minuto.

7. Riporta il pollo nel wok e versa il succo di limone.

8. Mescolare e cuocere fino a quando tutto sarà ben cotto.

9. Per servire, versare il composto sul riso cotto o sulla quinoa e guarnire con il coriandolo fresco tritato.

Informazioni nutrizionali:Calorie: 191Grassi: 5,3 gProteine: 11,9 gCarboidrati: 26,3 gFibre: 2,5 g

Tacos di tilapia con incredibile insalata di zenzero e sesamo

Porzioni: 4

Tempo di cottura: 5 ore

Ingredienti:

1 cucchiaino di zenzero fresco, grattugiato

Sale e pepe nero appena macinato a piacere 1 cucchiaino di stevia

1 c. di zuppa di salsa di soia

1 cucchiaio di olio d'oliva

1 c. di zuppa di succo di limone

1 c. di zuppa di yogurt naturale

1 kg di filetto di tilapia

1 tazza di miscela di insalata di cavolo

Istruzioni:

1. Accendi Instant Pot, aggiungi tutti gli ingredienti tranne i filetti di tilapia e il mix di insalata di cavolo e mescola fino a quando non saranno ben amalgamati.

2. Aggiungere poi i filetti, mescolare bene, chiudere con il coperchio, premere il

pulsante "cottura lenta" e cuocere per 5 ore, girando i filetti a metà cottura.

3. Al termine, trasferire i filetti su un piatto e lasciarli raffreddare completamente.

4. Per preparare il pasto, dividere la miscela di insalata di cavolo in quattro contenitori ermetici, aggiungere la tilapia e conservare in frigorifero per un massimo di tre giorni.

5. Quando è pronta da mangiare, riscalda la tilapia nel microonde finché è calda e servila con insalata di cavolo.

Informazioni nutrizionali:Calorie 278, Grassi totali 7,4 g, Carboidrati totali 18,6 g, Proteine 35,9 g, Zucchero 1,2 g, Fibre 8,2 g, Sodio 194 mg

Porzioni di stufato di lenticchie al curry: 4

Tempo di cottura: 15 minuti

Ingredienti:

1 cucchiaio di olio d'oliva

1 cipolla tritata

2 spicchi d'aglio, tritati

1 cucchiaio di curry biologico

4 tazze di brodo vegetale biologico a basso contenuto di sodio 1 tazza di lenticchie rosse

2 tazze di zucchine, cotte

1 tazza di cavolo riccio

1 cucchiaino di zafferano

Sale marino a piacere

Istruzioni:

1. Soffriggere l'olio d'oliva con la cipolla e l'aglio in una padella larga a fuoco medio, quindi aggiungere. Soffriggere per 3 minuti.

2. Aggiungi il condimento al curry biologico, il brodo vegetale e le lenticchie e porta a ebollizione - cuoci per 10 minuti.

3. Aggiungi la zucca cotta e il cavolo.

4. Aggiungi curcuma e sale marino a piacere.

5. Servire caldo.

Informazioni nutrizionali:Carboidrati totali 41g Fibra alimentare: 13g Proteine: 16g Grassi totali: 4g Calorie: 252

Insalata Caesar di cavolo riccio con wrap di pollo alla griglia Porzioni: 2

Tempo di cottura: 20 minuti

Ingredienti:

6 tazze di cavolo riccio, tagliato a pezzetti piccoli ½ uovo sodo; cucinato

8 once di pollo alla griglia, tagliato a fette sottili

½ cucchiaino di senape di Digione

¾ tazza di parmigiano, grattugiato finemente

Pepe nero macinato

sale kosher

1 spicchio d'aglio, tritato

1 tazza di pomodorini, tagliati in quarti

1/8 tazza di succo di limone, appena spremuto

2 tortillas grandi o due focacce Lavash

1 cucchiaino di agave o miele

1/8 di tazza di olio d'oliva

Istruzioni:

1. Unisci metà dell'uovo strapazzato con senape, aglio tritato, miele, olio d'oliva e succo di limone in una ciotola capiente. Frullare fino ad ottenere la consistenza di una salsa. Condire con pepe e sale a piacere.

2. Aggiungere i pomodorini, il pollo e il cavolo; mescolare delicatamente fino a quando sarà ben ricoperto di salsa e aggiungere ¼ di tazza di parmigiano.

3. Stendere le focacce e distribuire uniformemente l'insalata preparata sulle piadine; cospargere ciascuno con circa ¼ di tazza di parmigiano.

4. Arrotolare la pellicola e tagliarla a metà. Servire immediatamente e buon appetito.

Informazioni nutrizionali:kcal 511 Grassi: 29 g Fibre: 2,8 g Proteine: 50 g

Porzioni di insalata di fagioli con spinaci: 1

Tempo di cottura: 5 minuti

Ingredienti:

1 tazza di spinaci freschi

¼ di tazza di fagioli neri in scatola

½ tazza di ceci in scatola

½ tazza di funghi cremini

2 cucchiai di aceto balsamico biologico 1 cucchiaio di olio d'oliva

Istruzioni:

1. Cuocere i funghi cremini con l'olio d'oliva a fuoco medio-basso per 5 minuti, fino a quando saranno leggermente dorati.

2. Assemblare l'insalata disponendo gli spinaci freschi su un piatto e completando con i fagioli, i funghi e la vinaigrette all'aceto balsamico.

Informazioni nutrizionali:Carboidrati totali 26g Fibra alimentare: 8g Proteine: 9g Grassi totali: 15g Calorie: 274

Salmone in crosta con noci e rosmarino

Porzioni: 6

Tempo di cottura: 20 minuti

Ingredienti:

1 spicchio d'aglio tritato

1 cucchiaio di senape di Digione

¼ cucchiaio di scorza di limone

1 c. di zuppa di succo di limone

1 cucchiaio di rosmarino fresco

1/2 cucchiaio di miele

Olio

Prezzemolo

3 cucchiai di noci tritate

1 libbra di salmone senza pelle

1 cucchiaio di peperoncino rosso fresco tritato

sale e pepe

Fette di limone per decorare

3 cucchiai di pangrattato Panko

1 cucchiaio di olio extravergine di oliva

Istruzioni:

1. Distribuire la teglia nel forno e preriscaldare a 240°C.

2. In una ciotola, mescolare la pasta di senape, l'aglio, il sale, l'olio d'oliva, il miele, il succo di limone, il peperoncino tritato, il rosmarino, il pus di miele.

3. Unisci il panko, le noci e l'olio e distribuisci le fette sottili di pesce sulla teglia. Spruzzare l'olio d'oliva equamente su entrambi i lati del pesce.

4. Versare il composto di noci sul salmone e sopra il composto di senape.

5. Cuocere il salmone per quasi 12 minuti. Guarnire con prezzemolo fresco e spicchi di limone e servire caldo.

Informazioni nutrizionali:Calorie 227 Carboidrati: 0g Grassi: 12g Proteine: 29g

Patate dolci arrosto con salsa tahini rossa

Porzioni: 4

Tempo di cottura: 30 minuti

Ingredienti:

15 once di ceci in scatola

4 patate dolci medie

½ cucchiaio di olio d'oliva

1 pizzico di sale

1 c. di zuppa di succo di lime

1/2 cucchiaio di cumino, coriandolo e paprika in polvere Per salsa all'aglio e alle erbe

¼ di tazza di salsa tahina

½ cucchiaio di succo di limone

3 spicchi d'aglio

sale a piacere

Istruzioni:

1. Preriscaldare il forno a 204°C. Mescolare i ceci con sale, spezie e olio d'oliva. Distribuirli sul foglio di alluminio.

2. Spennellare le fette sottili di patata dolce con olio d'oliva, adagiarle sopra i fagioli marinati e infornare.

3. Per la salsa, mescolare tutti gli ingredienti in una ciotola. Aggiungete un po' d'acqua ma mantenetela densa.

4. Togliere le patate dolci dal forno dopo 25 minuti.

5. Guarnisci questa insalata di patate dolci e ceci arrostiti con una salsa calda all'aglio.

Informazioni nutrizionali:Calorie 90 Carboidrati: 20 g Grassi: 0 g Proteine: 2 g

Porzioni di Zuppa Di Zucca Italiana: 4

Tempo di cottura: 15 minuti

Ingredienti:

3 cucchiai di olio extra vergine di oliva

1 cipolla rossa piccola, affettata sottilmente

1 spicchio d'aglio, tritato

1 tazza di zucchine grattugiate

1 tazza di zucca gialla grattugiata

½ tazza di carota grattugiata

3 tazze di brodo vegetale

1 cucchiaino di sale

2 cucchiai di basilico fresco tritato finemente

1 cucchiaio di erba cipollina fresca tritata finemente

2 cucchiai di pinoli

Istruzioni:

1. Scaldare l'olio a fuoco alto in una padella larga.

2. Aggiungere la cipolla e l'aglio e farli rosolare finché non si saranno ammorbiditi, da 5 a 7 minuti.

3. Aggiungere le zucchine, la zucca gialla e la carota e far rosolare fino a renderle morbide, da 1 a 2 minuti.

4. Aggiungere il brodo e il sale e portare a ebollizione. Cuocere per 1 o 2 minuti.

5. Aggiungere il basilico e l'erba cipollina e servire cosparso di pinoli.

Informazioni nutrizionali:Calorie 172 Grassi totali: 15 g Carboidrati totali: 6 g Zuccheri: 3 g Fibre: 2 g Proteine: 5 g Sodio: 1170 mg

Porzioni di Zuppa Di Zafferano E Salmone: 4

Tempo di cottura: 20 minuti

Ingredienti:

¼ di tazza di olio extra vergine di oliva

2 porri, solo le parti bianche, affettati sottili

2 carote medie, affettate sottilmente

2 spicchi d'aglio, affettati sottilmente

4 tazze di brodo vegetale

1 libbra di filetti di salmone senza pelle, tagliati a pezzi da 1 pollice 1 cucchiaino di sale

¼ di cucchiaino di pepe nero appena macinato

¼ cucchiaino di pistilli di zafferano

2 tazze di spinaci novelli

½ bicchiere di vino bianco secco

2 cucchiai di erba cipollina tritata, sia la parte bianca che quella verde 2 cucchiai di prezzemolo fresco tritato finemente<u>Istruzioni:</u>

1. Scaldare l'olio a fuoco alto in una padella larga.

2. Aggiungere i porri, le carote e l'aglio e rosolarli fino a renderli morbidi, da 5 a 7

minuti.

3. Aggiungere il brodo e portare a ebollizione.

4. Portare a ebollizione e aggiungere il salmone, sale, pepe e zafferano. Cuocere fino a quando il salmone sarà cotto, circa 8 minuti.

5. Aggiungere gli spinaci, il vino, l'erba cipollina e il prezzemolo e cuocere finché gli spinaci non saranno appassiti, da 1 a 2 minuti, e servire.

Informazioni nutrizionali:Calorie 418 Grassi totali: 26g Carboidrati totali: 13g Zucchero: 4g Fibre: 2g Proteine: 29g Sodio: 1455mg

Zuppa piccante e agrodolce di gamberi e funghi al gusto tailandese

Porzioni: 6

Tempo di cottura: 38 minuti

Ingredienti:

3 c. di burro non salato

1kg di gamberi, sgusciati ed eviscerati

2 cucchiai di aglio tritato

Pezzo di radice di zenzero da 1 pollice, sbucciato

1 cipolla media, tagliata a dadini

1 peperone rosso tailandese, tritato

1 gambo di melissa

½ cucchiaino di scorza di limone fresca

Sale e pepe nero appena macinato a piacere 5 tazze di brodo di pollo

1 c. di zuppa di olio di cocco

Mezzo chilo di funghi cremini, affettati

1 piccola zucchina verde

2 cucchiai di succo di limone fresco

2 c. di zuppa di sugo di pesce

¼ mazzetto di basilico tailandese fresco, tritato

¼ mazzetto di coriandolo fresco, tritato

Istruzioni:

1. Prendi una padella ampia, mettila a fuoco medio, aggiungi il burro e quando si scioglie, aggiungi i gamberi, l'aglio, lo zenzero, la cipolla, i peperoni, la citronella e la scorza di limone, condisci con sale e pepe e fai rosolare per 3 minuti .

2. Versare il brodo, cuocere per 30 minuti, quindi filtrare.

3. Mettete una padella larga a fuoco medio, aggiungete l'olio d'oliva e quando sarà caldo aggiungete i funghi e le zucchine, condite con sale e pepe nero e fate rosolare per 3 minuti.

4. Aggiungi il composto di gamberetti nella padella, cuoci per 2 minuti, irrora con il succo di limone e la salsa di pesce e cuoci per 1 minuto.

5. Assaggiare per aggiustare il condimento, togliere la padella dal fuoco, guarnire con coriandolo e basilico e servire.

Informazioni nutrizionali:Calorie 223, Grassi totali 10,2 g, Carboidrati totali 8,7 g, Proteine 23 g, Zucchero 3,6 g, Sodio 1128 mg

Orzo Con Pomodori Secchi Ingredienti:

Petto di pollo disossato e senza pelle da 1 libbra, tagliato in pezzi da 3/4 pollici

1 cucchiaio + 1 cucchiaino di olio d'oliva

Sale e pepe nero appena macinato

2 spicchi d'aglio, tritati

1/4 tazze (8 once) di pasta d'orzo secca

2 3/4 tazze di brodo di pollo a basso contenuto di sodio, a questo punto più vario (non usare succhi normali, sarebbe troppo salato) 1/3 tazza di pezzi di pomodoro essiccato al sole ripieni di olio con erbe aromatiche (circa 12 parti. Agitare una parte dell'abbondante olio), tritato finemente nel robot da cucina

1/2 - 3/4 tazza di parmigiano cheddar finemente grattugiato, a piacere 1/3 tazza di basilico croccante, spezzato

Istruzioni:

1. Scaldare 1 cucchiaio di olio d'oliva in una padella a fuoco medio-alto.

2. Dopo la frittura, aggiungere il pollo, condire delicatamente con sale e pepe e cuocere fino a doratura, circa 3 minuti, quindi girare sul rovescio e cuocere fino a quando sarà molto scuro e cotto, circa 3 minuti. Spostare il pollo in un piatto, ricoprirlo con un foglio di alluminio per tenerlo al caldo.

3. Aggiungi 1 cucchiaino di olio d'oliva per rosolare il piatto, aggiungi l'aglio e rosola per 20 secondi, o solo fino a quando diventa lucido, quindi versa i succhi di pollo raschiando eventuali pezzetti cotti dal fondo della padella.

4. Riscalda il brodo fino al punto di ebollizione, aggiungi la pasta d'orzo, riduci il fuoco in una padella media con coperchio e lascia bollire dolcemente per 5 minuti. più a lungo, mescolando di tanto in tanto (non preoccupatevi se rimane ancora un po' di succo, aggiungerà un tocco piccante).

5. Quando la pasta sarà cotta, aggiungete il pollo e l'orzo, quindi togliete dal fuoco. Aggiungere il parmigiano cheddar e mescolare fino a quando non si scioglie, quindi aggiungere i pomodori secchi, il basilico e condire.

con pepe (il sale non serve, ma aggiungetene un po' se pensate di averne bisogno).

6. Aggiungi altri succhi per diluire secondo necessità (mentre l'impasto riposa, assorbe molto liquido e a me piaceva un po' troppo, quindi ne ho incluso un po' di più). Servitelo caldo.

Porzioni di Zuppa Di Funghi E Barbabietole: 4

Tempo di cottura: 40 minuti

Ingredienti:

2 cucchiai di olio d'oliva

1 cipolla gialla, tritata

2 barbabietole, sbucciate e tagliate a cubetti grandi

1 libbra di funghi bianchi, affettati

2 spicchi d'aglio, tritati

1 cucchiaio di concentrato di pomodoro

5 tazze di brodo vegetale

1 cucchiaio di prezzemolo, tritato

Istruzioni:

1. Scaldare una padella con olio d'oliva a fuoco medio, aggiungere la cipolla e l'aglio e far rosolare per 5 minuti.

2. Aggiungere i funghi, mescolare e far rosolare per altri 5 minuti.

3. Aggiungete la barbabietola rossa e gli altri ingredienti, mettete sul fuoco basso e fate cuocere a fuoco medio per altri 30 minuti, mescolando di tanto in tanto.

4. Versare la zuppa nelle ciotole e servire.

<u>Informazioni nutrizionali:</u>calorie 300, grassi 5, fibre 9, carboidrati 8, proteine 7

Polpette di pollo alla parmigiana Ingredienti:

2 libbre di pollo macinato

3/4 tazza di pangrattato panko senza glutine funzionerà bene 1/4 tazza di cipolla tritata finemente

2 cucchiai di prezzemolo tritato

2 spicchi d'aglio, tritati

sottaceto di 1 limone circa 1 cucchiaino 2 uova

3/4 tazza di pecorino romano grattugiato o parmigiano cheddar 1 cucchiaino di sale puro

1/2 cucchiaino di pepe nero appena macinato

1 litro di Salsa Marinara Cinque Minuti

4-6 once di mozzarella tagliata a pezzi

Istruzioni:

1. Preriscaldare il fornello a 400 gradi, posizionando la griglia nel terzo superiore della griglia. In una ciotola capiente, unisci tutto tranne la marinara e la mozzarella. Mescolare delicatamente, usando le mani o un cucchiaio grande. Raccogliere e formare delle piccole polpette e disporle su una teglia ricoperta con un foglio di alluminio. Disporre le polpette una

accanto all'altra sul piatto per sistemarle. Versare circa mezzo cucchiaio di salsa su ogni polpetta. Riscaldare per 15 minuti.

2. Togliere le polpette dal fuoco e aumentare la temperatura del pollo da cuocere. Versare mezzo cucchiaio extra di salsa su ogni polpetta e ricoprire con un quadratino di mozzarella. (Ho tagliato i tagli leggeri in pezzi di circa 1 pollice quadrato.) Grigliare per altri 3 minuti, finché il cheddar non si ammorbidisce e diventa lucido. Presenta con salsa extra. Buon divertimento!

Polpette Alla Parmigiana Ingredienti:

Per le polpette

Hamburger macinato da 1,5 libbre (80/20)

2 cucchiai di prezzemolo croccante, tritato

3/4 tazza di parmigiano grattugiato

1/2 tazza di farina di mandorle

2 uova

1 cucchiaino di sale

1/4 cucchiaino di pepe nero macinato

1/4 cucchiaino di aglio in polvere

1 cucchiaino di gocce di cipolla essiccata

1/4 cucchiaino di origano secco

1/2 tazza di acqua tiepida

Per la parmigiana

1 tazza di salsa keto marinara semplice (o qualsiasi marinara non zuccherata acquistata localmente)

4 once di mozzarella cheddar

Istruzioni:

1. Unisci tutti gli ingredienti delle polpette in una ciotola capiente e mescola bene.

2. Formare quindici polpette da 2".

3. Preparare a 350 gradi (F) per 20 minuti OPPURE friggere in una padella capiente a fuoco medio fino a cottura ultimata. Il miglior consiglio: prova a rosolarlo nell'olio di pancetta, se ce l'hai: dà più sapore. La fricassea produce l'ombreggiatura di colore scuro brillante che appare nelle fotografie sopra.

4. Per la Parmigiana:

5. Metti le polpette cotte in un piatto resistente al calore.

6. Versare circa 1 cucchiaio di salsa su ogni polpetta.

7. Distribuire circa 1/4 oncia di mozzarella cheddar ciascuno.

8. Preparare a 350 gradi (F) per 20 minuti (40 minuti se le polpette sono cotte) o finché non viene riscaldato e il cheddar diventa luminoso.

9. Guarnisci con prezzemolo nuovo ogni volta che vuoi.

Petto Di Tacchino In Teglia Con Verdure Rosolate

Porzioni: 4

Tempo di cottura: 45 minuti

Ingredienti:

2 cucchiai di burro non salato, a temperatura ambiente 1 zucchina media, senza semi e affettata sottilmente 2 grandi barbabietole dorate, sbucciate e affettate sottilmente ½ cipolla gialla media, affettata sottilmente

½ petto di tacchino disossato e con la pelle (da 1 a 2 libbre) 2 cucchiai di miele

1 cucchiaino di sale

1 cucchiaino di curcuma

¼ di cucchiaino di pepe nero appena macinato

1 tazza di brodo di pollo o brodo vegetale

Istruzioni:

1. Preriscaldare il forno a 400°F. Ungere la teglia con il burro.

2. Disporre la zucca, la barbabietola rossa e la cipolla in un unico strato sulla teglia. Posizionare la pelle del tacchino verso l'alto. Condire con miele.

Condire con sale, zafferano e pepe e aggiungere il brodo.

3. Arrostire finché il tacchino non registra 165 ° F al centro con un termometro a lettura istantanea, da 35 a 45 minuti. Togliere e lasciare riposare per 5 minuti.

4. Tagliare e servire.

Informazioni nutrizionali:Calorie 383 Grassi totali: 15 g Carboidrati totali: 25 g Zuccheri: 13 g Fibre: 3 g Proteine: 37 g Sodio: 748 mg

Curry verde al cocco con riso bollito Porzioni: 8

Tempo di cottura: 20 minuti

Ingredienti:

2 cucchiai di olio d'oliva

12 once di tofu

2 patate dolci medie (tagliate a cubetti)

Sale a piacere

314 once di latte di cocco

4 cucchiai di curry verde

3 tazze di cimette di broccoli

Istruzioni:

1. Rimuovere l'acqua in eccesso dal tofu e friggerlo a fuoco medio. Salare e friggere per 12 minuti.

2. Fai bollire il latte di cocco, la pasta di curry verde e la patata dolce a fuoco medio e fai sobbollire per 5 minuti.

3. Ora aggiungi i broccoli e il tofu e cuoci per quasi 5 minuti finché il colore dei broccoli non cambia.

4. Servi questo cocco e curry verde con una manciata di riso cotto e abbondante uvetta sopra.

Informazioni nutrizionali:Calorie 170 Carboidrati: 34 g Grassi: 2 g Proteine: 3 g

Zuppa di patate dolci e pollo con lenticchie

Porzioni: 6

Tempo di cottura: 35 minuti

Ingredienti:

10 gambi di sedano

1 pollo arrosto o arrosto

2 patate dolci medie

5 once di lenticchie francesi

2 cucchiai di succo di limone fresco

½ cespo di indivia piccola

6 spicchi d'aglio, affettati sottilmente

½ tazza di aneto (tritato finemente)

1 cucchiaio di sale kosher

2 cucchiai di olio extravergine

Istruzioni:

1. Aggiungere sale, carcassa di pollo, lenticchie e patate dolci in 8 once d'acqua e far bollire a fuoco alto.

2. Cuocere questi alimenti per circa 10-12 minuti ed eliminare tutta la schiuma che si forma su di essi.

3. Soffriggere l'aglio e il sedano nell'olio per quasi 10 minuti fino a quando saranno morbidi

e marrone chiaro, quindi aggiungere il pollo arrosto sminuzzato.

4. Aggiungete questo composto alla zuppa di indivia e mescolate continuamente per 5

minuti a fuoco medio.

5. Aggiungi il succo di limone e aggiungi l'aneto. Servire, condire la zuppa calda con sale.

Informazioni nutrizionali:Calorie 310 Carboidrati: 45 g Grassi: 11 g Proteine: 13 g

Milton Keynes UK
Ingram Content Group UK Ltd.
UKHW020241221123
432980UK00016B/1097